N3合格！

日本語能力試験問題集

The Workbook for the Japanese Language Proficiency Test

N3 漢字 スピードマスター

Quick Mastery of N3 Kanji

Nắm Vững Nhanh Từ Kanji N3

清水知子・大場理恵子 共著

Jリサーチ出版

はじめに

Foreword
Lời tựa

漢字は難しそうに見えますが、一度覚えてしまえば、単語の意味も文の意味もわかりやすくなります。日本人がずっと漢字を使っているのは、実は便利だからなのです。

この本では、日本語能力試験のN3合格をめざすみなさんが、そんな漢字を楽しく勉強できるように、二つの工夫をしました。①日本で生活を始めた二人の学習者（留学生マリオ＆会社で研修中のリサ）のストーリーを使う、②漢字一つ一つの中心となる意味を示す、の二つです。勉強する漢字は、N3合格に必要な「日常的な場面」で使われる403字（N4レベルの32字を含む）です。N4レベルの漢字は、その漢字のN3レベルの読みや意味を新しく学び、間違えやすいポイントを復習するために取り上げました。

さて、9つのユニット（45の場面）で、マリオとリサはどんな経験をするのでしょうか。各場面の会話で漢字を勉強したら、各ユニット最後のページにある「まとめ問題B」の文章を読んで、二人の成長も感じてください。もちろん、二人といっしょにあなたも成長していきますよ。

さあ、合格をめざして勉強を始めましょう！

著者

● 会話に出てくる主な人 ●

Main Characters／Nhân vật chính xuất hiện trong đoạn hội thoại

マリオ

男性留学生

male foreign exchange student
nam lưu học sinh

リサ

女性会社員。研修のために来日。

female company employee. Came to Japan for training.
nữ nhân viên công ty, tới Nhật Bản thực tập.

二人は友だちで、同じ日本語学校を卒業した。

Two friends who graduated from the same Japanese language school.
Hai người là bạn, tốt nghiệp cùng trường tiếng Nhật

Kanji may look difficult, but once you remember a character, any related vocabulary and sentences it appears in become easier to understand. Japanese people have used kanji for a very long time precisely because they are so useful.

This book provides students looking to pass level N3 of the Japanese Language Proficiency Test with two methods for studying these kanji in a fun and engaging way. ① An ongoing story involving two overseas visitors (foreign exchange student, Mario, and trainee, Lisa) beginning life in Japan, ② Each kanji presented with its core meaning(s). Kanji presented for study include 403 characters needed to pass N3 that are used in everyday situations (including 32 characters from N4). N4 kanji are provided for review to clear up common mistakes along with new readings and usages that appear in N3.

Over the course of 9 units (45 conversation settings), Mario and Lisa will have many different experiences. Enjoy their conversations, learn the kanji, read the「Review Questions B」sentences at the end of each unit, and grow as they do.

Let's begin your road to success!

The aurthors

Chữ Hán trông thì khó nhưng nếu đã nhớ thì sẽ thấy ý nghĩa của từ hay nghĩa của câu trở nên dễ hiểu hơn. Người Nhật sử dụng chữ Hán cũng là do chữ Hán rất tiện dụng.

Cuốn sách này có hai điểm sáng tạo để người học đang đặt mục tiêu đỗ cấp độ N3 kì thi năng lực tiếng Nhật học chữ Hán thấy thú vị hơn. Một là sử dụng câu chuyện của hai người học bắt đầu cuộc sống tại Nhật Bản (Mario lưu học sinh và Lisa thực tập sinh công ty), hai là đưa ra ý nghĩa chính của từng chữ Hán. Chữ Hán cần học có 403 chữ được sử dụng trong "bối cảnh thường ngày" cần thiết để đỗ được N3 (bao gồm cả 32 Hán cấp độ N4). Chúng tôi đưa ra chữ Hán N4 để người học học cách đọc và ý nghĩa mới của những chữ Hán đó ở cấp độ N3 và ôn tập lại những điểm dễ bị nhầm lẫn.

Trong 9 bài (45 bối cảnh), Mario và Lisa sẽ có được những trải nghiệm như thế nào? Sau khi học xong chữ Hán ở bài hội thoại trong mỗi bối cảnh, bạn hãy đọc đoạn văn "まとめ問題 " (bài tổng hợp) ở trang cuối mỗi bài để cảm nhận sự trưởng thành của hai nhân vật. Tất nhiên bạn cũng trưởng thành cùng cả hai đấy.

Nào, hãy học và thi đỗ nhé!

Tác giả

目次
Table of Contents
Mục lục

- はじめに　Foreword／Lời tựa ······ 2
- この本の使い方　How to Use This Book／Cách sử dụng sách ······ 6

UNIT 1　飛行機　Airplane Travel／Máy bay ······ 9
1. ABC 空港で　At ABC Airport／Tại sân bay ABC ······ 10
2. 飛行機の中で（1）　On the Airplane (1)／Trong máy bay(1) ······ 12
3. 飛行機の中で（2）　On the Airplane (2)／Trong máy bay (2) ······ 14
4. 飛行機の中で（3）　On the Airplane (3)／Trong máy bay (3) ······ 16
5. 日本の空港で　At the Japanese Airport／Tại sân bay Nhật Bản ······ 18

▶ まとめ問題 A・B　Review Questions A/B／Bài tập tổng hợp A/B ······ 20

UNIT 2　外出　Going Outside／ra ngoài ······ 23
1. 駅のホームで　At the Station Platform／Tại sân ga ······ 24
2. 乗り換えの駅で（1）　At the Changing Station (1)／Tại ga đổi tàu (1) ······ 26
3. 乗り換えの駅で（2）　At the Changing Station (2)／Tại ga đổi tàu (2) ······ 28
4. 電車の中で　In the Train／Trong xe điện ······ 30
5. 交差点で　At the Intersection／Tại ngã tư ······ 32

▶ まとめ問題 A・B　Review Questions A/B／Bài tập tổng hợp A/B ······ 34

UNIT 3　リサの生活　Lisa's Daily Life／Cuộc sống của Lisa ······ 37
1. 住んでいるところ　place of residence／nơi đang sống ······ 38
2. 仕事の話　Talking about Work／Chuyện công việc ······ 40
3. ピザの配達　Pizza Delivery／Pizza phát tận nhà ······ 42
4. ごみの捨て方　How to Dispose of Trash／Cách vứt rác ······ 44
5. 郵便局へ　To the Post Office／Đến bưu điện ······ 46

▶ まとめ問題 A・B　Review Questions A/B／Bài tập tổng hợp A/B ······ 48

UNIT 4　マリオの生活（1）　Mario's Daily Life (1)／Cuộc sống của Mario (1) ······ 51
1. 留学生会館　Study Abroad Center／Hội quán lưu học sinh ······ 52
2. 日本語の授業　Japanese Language Class／giờ học tiếng Nhật ······ 54
3. 資料集　Class Materials／Tập tài liệu ······ 56
4. 歴史の授業　History Class／Giờ học lịch sử ······ 58
5. 近所の店　Local Shop／Cửa hàng gần nhà ······ 60

▶ まとめ問題 A・B　Review Questions A/B／Bài tập tổng hợp A/B ······ 62

UNIT 5　マリオの生活（1）　Mario's Daily Life (1)／Cuộc sống của Mario (1) ······ 65
1. 野球の練習　Baseball Practice／Tập bóng chày ······ 66
2. 試合　The Big Match!／Thi đấu ······ 68
3. 交通事故　A Traffic Accident／Tai nạn giao thông ······ 70
4. 病院からの電話　A Call from the Hospital／Điện thoại từ bệnh viện ······ 72
5. 優勝した夢　A Dream about Winning／Mơ được vô địch ······ 74

▶ まとめ問題 A・B　Review Questions A/B／Bài tập tổng hợp A/B ······ 76

UNIT 6 気持ち・様子・動作 Feelings, Condition, Action／Tâm trạng, tình hình, hành động •• 79

1 気持ちを表す言葉 (1) Expressing Feelings (1)／Từ thể hiện cảm xúc (1) •••••••••••••••••• 80
2 気持ちを表す言葉 (2) Expressing Feelings (2)／Từ thể hiện cảm xúc (2) •••••••••••••••••• 82
3 様子を表す言葉 Explaining Your Condition／Từ chỉ trạng thái •••••••••••••••••••••• 84
4 動作を表す言葉 (1) Action Words (1)／Từ chỉ động tác (1) •••••••••••••••••••••••••• 86
5 動作を表す言葉 (2) 自他動詞 Action Words (2) Intransitive Verbs and Transitive Verbs／Từ chỉ động tác (2) Tha, tự động từ •••••••••••• 88
▶ まとめ問題 A・B Review Questions A/B／Bài tập tổng hợp A/B •••••••••••••••••••••• 90

UNIT 7 自然 Nature／Tự nhiên •••••••••••••••••••••••••••••••• 93

1 天気 Weather／Thời tiết •• 94
2 植物 Plants／Thực vật •• 96
3 虫など Insects／Côn trùng •••••••••••••••••••••••••••••••••••••• 98
4 風景 Scenery／Phong cảnh •••••••••••••••••••••••••••••••••••••• 100
5 昔と未来 Past and Future／Quá khứ và tương lai •••••••••••••••••••••••••• 102
▶ まとめ問題 A・B Review Questions A/B／Bài tập tổng hợp A/B •••••••••••••••••••••• 104

UNIT 8 いろいろな体験 Life's Experiences／Trải nghiệm ••••••••••••••• 107

1 病気 Illness／Bệnh tật •• 108
2 お祭り Festival Time!／Lễ hội •••••••••••••••••••••••••••••••••••• 110
3 警察で At the Police Station／Tại đồn cảnh sát •••••••••••••••••••••••••• 112
4 芸術 The Arts／Nghệ thuật •••••••••••••••••••••••••••••••••••••• 114
5 面接 Interview／Phỏng vấn •••••••••••••••••••••••••••••••••••••• 116
▶ まとめ問題 A・B Review Questions A/B／Bài tập tổng hợp A/B •••••••••••••••••••••• 118

UNIT 9 社会 Society／Xã hội •••••••••••••••••••••••••••••••• 121

1 産業 Industry／Công nghiệp •••••••••••••••••••••••••••••••••••• 122
2 経済 Economics／Kinh tế •• 124
3 政治 Government／Chính trị •••••••••••••••••••••••••••••••••••• 126
4 情報 Information／Thông tin •••••••••••••••••••••••••••••••••••• 128
5 理想 The Ideal Life／Lí tưởng •••••••••••••••••••••••••••••••••• 130
▶ まとめ問題 A・B Review Questions A/B／Bài tập tổng hợp A/B •••••••••••••••••••••• 132

実力テスト 第１回 Practice Exam the 1st／Bài kiểm tra thực lực lần thứ nhất•••••••••••••••••• 135
実力テスト 第２回 Practice Exam the 2nd／Bài kiểm tra thực lực lần thứ 2 •••••••••••••••••• 138

N4 N5 漢字チェックリスト N4 N5 Kanji Checklist／Danh bạ N4 N5 Kanji •••••••••••••••••• 141

単語さくいん Word index／Chỉ số từ vựng •••••••••••••••••••••••••••••• 150
漢字さくいん Kanji index／Chỉ số Kanji•••••••••••••••••••••••••••••••• 162

別冊 Supplementary Text／cuốn khác

問題の答えと訳 Answer and Translation／Phần trả lời và phần dịch của các bài tập
「数え方を表す漢字」の読み方 Reading for Kanji for Ways of Counting／Cách đọc "chữ Hán chỉ cách đếm số"

この本の使い方

How to Use This Book
Cách sử dụng sách

場面やテーマに関係する短い会話
ば めん かんけい みじか かいわ

▶ここで学習する漢字をいくつか含み、太くしています。
がくしゅう かんじ ふく ふと

There are short conversations related to these situations and themes.
Target kanji are present in bold.

Đoạn hội thoại ngắn liên quan tới bối cảnh và chủ đề
Những chữ Hán học ở đây cũng được bôi đậm

場面やテーマ

▶一つのユニットに5つあります。

Situations and Themes
Each Unit contains 5 everyday situations.

Bối cảnh và chủ đề
Trong một bài có 5 bối cảnh hoặc chủ đề.

読み

▶ひらがなは訓読み、カタカナは音読みです。

Kanji Readings
Japanese "kun'yomi" readings are in Hiragana, Chinese "on'yomi" readings are in Katakana.

Cách đọc chữ Hán
Chữ Hiragana là âm Nhật, chữ Katakana là âm Hán

画数

Stroke count
Số nét

漢字の漢越音

kanji reading in Vietnamese
Âm Hán Việt của chữ Hán

UNIT 9
1

産業

Industry／Công nghiệp

／20

農業や**製造**業など、いろんな**産業**で**労働**力が不足しているみたいだね。

そうだね。今は**商**品やサービスがたくさんあるけど、これからどうなるか心配だね。

"It sounds like a lot of industries like farming and manufacturing are lacking manpower."
"That's right. There's so many people in retail and services now. I'm worried what will happen."

"Ngành nông nghiệp, ngành chế tạo, rất nhiều ngành đang thiếu nguồn lao động."
"Đúng rồi. Bây giờ hàng hóa dịch vụ nhiều lên nhưng tương lai không biết thế nào đây."

① 産 サン	産業（さんぎょう）	industry / công nghiệp
	フランス産（さん）	Product in France / tiếng Pháp
	生産（せいさん）(する)	to produce / sản xuất
	産地（さんち）	point of origin / xuất xứ
	土産*（みやげ）	souvenir / quà lưu niệm
11画 SẢN	create, birth	
② 製 セイ	製品（せいひん）	product / sản phẩm
	日本製（にほんせい）	Made in Japanese / sản xuất tại Nhật
14画 CHẾ	manufacture, make	
③ 造 つく-る ゾウ	造る（つくる）	to make, to produce / làm, chế tạo
	製造（せいぞう）(する)	to produce, to manufacture / sản xuất, chế tạo
10画 TẠO	produce, mass production	
④ 労 ロウ	苦労（くろう）(する)	to struggle / vất vả
	疲労（ひろう）(する)	to get tired, fatigue / lao lực
7画 LAO	labor	
⑤ 働 はたら-く ドウ	働く（はたらく）	to work / làm việc
	労働（ろうどう）(する)	to labor / lao động
	労働者（ろうどうしゃ）	laborer / người lao động
13画 ĐỘNG	work	

⑥ 商 ショウ	商品（しょうひん）	merchandise, goods / sản phẩm, hàng hóa
	商業（しょうぎょう）	commerical / ngành thương mại, buôn bán
	商売（しょうばい）	business, commerce / buôn bán
11画 THƯƠNG	merchant, commerical	
⑦ 首 くび シュ	首（くび）	neck, head / cổ
	手首（てくび）	wrist / cổ tay
	首都（しゅと）	capital / thủ đô
	首相（しゅしょう）	Prime Minister / thủ tướng
9画 THỦ	neck, head, main	
⑧ 都 ト ツ	都市（とし）	city, metropolis / thành phố
	都会（とかい）	city / nơi đô thị
	東京都（とうきょうと）	Tokyo metropolitan area / thành phố Tokyo
	都道府県（とどうふけん） →9-3	administrative divisions of Japan / đơn vị hành chính của Nhật
	都合（つごう）	circumstances, convenience / điều kiện
11画 ĐÔ	capital, metropolis	
⑨ 平 ヘイ	平和（へいわ）	peace / hòa bình
	平日（へいじつ）	weekday / ngày thường
	平均（へいきん）	average / trung bình
	公平（こうへい）(な)	fair / công bằng
5画 BÌNH	level, even, flat	
かんじ かんえつおん

122

漢字の中心的な意味
かんじ ちゅうしんてき いみ

Core Meaning
Ý nghĩa chính của chữ Hán

その漢字を含む熟語などの例
かんじ ふく じゅくご れい

Sample Vocabulary
Ví dụ từ ghép chứa chữ Hán

記号などの使い方 usage of symbols／Cách dùng các kí hiệu

- ☐̇ … N2 レベル以上の漢字 Kanji level N2 and above／Chữ Hán trên cấp độ N2
- → …「→9-3」＝「ユニット 9-3 を見てください」
- 日本製… うすい字は一つの例 example vocab shown in thin type／Chữ in nhạt là một ví dụ
- ★ … 特別な読み方の言葉 example of unique reading／Từ có cách đọc đặc biệt

ドリル A 正しい読みをえらんでください。 1点×5

❶ 商品のラベルに野菜の産地が書いてある。 a. せいち b. さんち

❷ テニスをしすぎて、手首が痛い。 a. しゅくび b. てくび

❸ 人間は苦労によって成長すると思う。 a. くりょく b. くろう

❹ 世界が平和でありますように。 a. へいわ b. へんわ

❺ あの社長は昔から商売上手な人だった。 a. しょうり b. しょうばい

漢字の正しい読みを答えるドリル
Drill: Identify the proper reading
Bài luyện tập trả lời cách đọc đúng của chữ Hán

ドリル B 正しい漢字をえらんでください。 1点×5

❶ 兄は東京＿＿の職員だ。(と) a. 部 b. 郵 c. 都

❷ ドイツ＿＿の車は丈夫だと思う。(せい) a. 制 b. 製 c. 性

❸ コンビニの＿＿品は種類が多い。(しょう) a. 商 b. 賞 c. 相

❹ ＿＿働時間が長すぎるのは問題だ。(ろう) a. 労 b. 営 c. 栄

❺ このダムは 30 年前に＿＿られた。(つく) a. 造 b. 産 c. 製

UNIT 9

正しい漢字を答えるドリル
Drill: Identify the correct kanji
Bài luyện tập trả lời chữ Hán đúng

ドリル C 正しいほうをえらんで、ぜんぶひらがなで＿＿に書いてください。 1点×10

(れい) 天気がいいから、(ⓐ公園 b. 道路) に行きましょう。 こうえん

❶ アメリカ (a. 産 b. 製) の牛肉で、焼肉をしよう。 ＿＿

❷ 来週、カナダの (a. 首相 b. 首都) が来日するそうだ。 ＿＿

❸ 私は、田舎じゃなく (a. 都合 b. 都会) に住みたい。 ＿＿

❹ ここが、ピアノを (a. 商業 b. 製造) している工場だ。 ＿＿

❺ 前回の試験の (a. 平均 b. 平日) 点は 70 点だった。 ＿＿

123

正しい語を選び、自分で読みを書くドリル
Drill: Select the correct word and provide its reading
Bài luyện tập chọn từ đúng, tự viết cách đọc

学習の流れ
（がくしゅう）（なが）
Study Flow／Trình tự học

メインのパート：N3 漢字の学習
（かん　じ）（がくしゅう）
Main Focus: N3 Kanji
Phần chính: Học chữ Hán N3

▶ 9つのユニット×5つの場面
（ここの）　　　　　（いっ）（ば　めん）
9 Units, each containing 5 everyday situations
9 bài x 5 bối cảnh

▶ 1つの場面ごとに7～11字の漢字と約30の単語を紹介
（ひと）（ば　めん）　　　　　　（じ）（かんじ）（やく）　　　（たん　ご）（しょうかい）
Each situation introduces 7-11 Kanji and about 30 vocabulary words
Mỗi bối cảnh giới thiệu 7 ~11 chữ Hán và khoảng 30 từ

① 左ページのリストで漢字1字ずつの基本を学習
（ひだり）　　　　　　　（かんじ）（じ）　　　　　（き ほん）（がくしゅう）
Learn the basics of each kanji listed on the left-hand page
Học cơ bản từng chữ Hán bằng bảng ở trang bên trái

② 3つのドリルで、漢字の読み書き、意味や使い方を確認
（みっ）　　　　　　　　（かん じ）（よ）（か）　（い み）　（つか）（かた）（かくにん）
Practice kanji reading, writing and usage with 3 provided drills
Xem lại cách đọc viết chữ Haasnm ý nghĩa và cách dùng bằng 3 bài luyện tập

③ ユニット最後の「まとめ問題 A」「まとめ問題 B」で復習
（さい ご）　　　　　（もんだい）　　　　　（もんだい）　　　（ふくしゅう）
「Review Questions A」「Review Questions B」tests all information contained in a Unit
Ôn tập lại bằng「Bài tập tổng hợp A」「Bài tập tổng hợp B」ở cuối mỗi bài

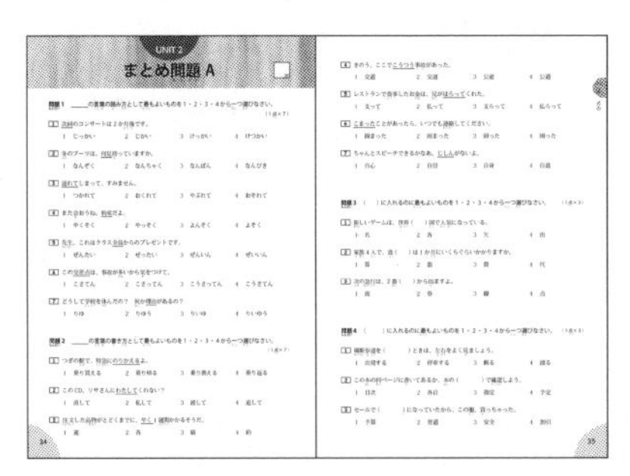

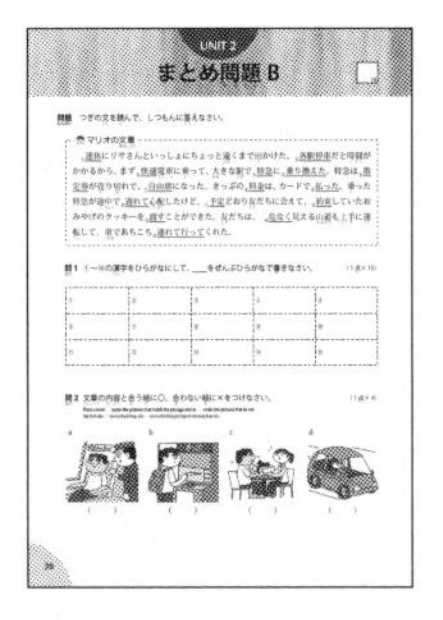

実力テスト
Practice Exam
Bài kiểm tra thực lực

④日本語能力試験と同じ形式の問題で実力チェック
（に ほん ご のうりょく し けん）（おな）（けいしき）（もんだい）（じつりょく）
※2回チャレンジします。
Check your ability with questions styled after the actual JLPT ※ Two tests included
Kiểm tra thực lực bằng bài có hình thức giống bài thi năng lực tiếng Nhật. ※ Thử sức 2 lần

N4N5 漢字チェックリスト
N4/N5 Kanji Checklist
Bảng chữ Hán N4N5

N4N5 レベルの漢字を復習チェック
（かん じ）（ふくしゅう）
※最初でも途中でも、いつでもかまいません。
（さいしょ）（と ちゅう）
N4/N5 Level Kanji Review ※ Feel free to reference at any time
Ôn tập chữ Hán cấp độ N4N5 ※ Có thể làm từ đầu hoặc giữa chừng đều được

UNIT 1 飛行機（ひこうき）

Airplane Travel

Máy bay

1 ABC 空港（くうこう）で At ABC Airport ⁄ Tại sân bay ABC

2 飛行機（ひこうき）の中（なか）で（1） On the Airplane (1) ⁄ Trong máy bay(1)

3 飛行機（ひこうき）の中（なか）で（2） On the Airplane (2) ⁄ Trong máy bay (2)

4 飛行機（ひこうき）の中（なか）で（3） On the Airplane (3) ⁄ Trong máy bay (3)

5 日本（にほん）の空港（くうこう）で At the Japanese Airport ⁄ Tại sân bay Nhật Bản

UNIT 1

1

ABC 空港(くうこう)で

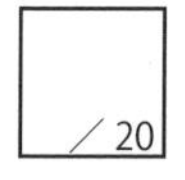

At ABC Airport ／Tại sân bay ABC

〈マリオとリサは偶然(ぐうぜん)、同(おな)じ**飛行機**(ひこうき)に乗(の)ることを知(し)って、驚(おどろ)く。〉

ほんと、びっくりしたね。

びっくりしたよ～。こんなことってあるんだね。

あ、そろそろスーツケースを**預**(あず)けないとね。

うん。自分(じぶん)で持(も)ち**込**(こ)む**荷**物(にもつ)と分(わ)けないとね、**検査**(けんさ)もあるし。

〈Mario is surprised to know that Lisa happens to be riding the same plane.〉
"What a surprise, right?" "I know! To think we'd be on the same plane."
"Well, we need to check our luggage." "OK. We need to separate our carry-ons since we go through inspection."

〈Mario và Lisa bất ngờ khi biết sẽ đi cùng máy bay〉
"Thật bất ngờ quá!" "Tớ cũng bất ngờ. Không nghĩ lại có chuyện trùng hợp này."
"A, chuẩn bị gửi hành lí thôi." "Ừ, phải tự mình chia đồ xách tay ra mới được. Còn qua kiểm tra nữa."

1 飛 と-ぶ ヒ		
	飛(と)ぶ	to fly bay
	飛行場(ひこうじょう)	airfield sân bay
9画 PHI	fly	

2 機 キ		
	飛行機(ひこうき)	airplane máy bay
	機械(きかい)	machine máy móc
	洗濯機(せんたくき)	washing machine máy giặt
	コピー機(き)	copy machine máy photocopy
	機会(きかい)	chance, opportunity cơ hội
16画 KHÍ	machine, device	

3 空 そら あ-く あ-ける クウ		
	(～が)空(あ)く	to be empty, to be free trống
	(～を)空(あ)ける	to free up để trống
	空港(くうこう)	airport sân bay
	空気(くうき)	air, atmosphere không khí
8画 KHÔNG	sky, empty	

4 港 みなと コウ		
	港(みなと)	port, harbor cảng
	港町(みなとまち)	harbor town phố cảng
	横浜港(よこはまこう)	Yokohama Harbor cảng Yokohama
12画 CẢNG	port, harbor	

5 預 あず-ける あず-かる ヨ		
	預(あず)ける	to entrust/deposit gửi
	預(あず)かる	to keep giữ
	預金(よきん)(する)	to deposit tiền gửi ngân hàng
13画 DỰ	deposit, entrust	

6 込 こ-む		
	(～が)込(こ)む ＊「混む」とも書(か)く	to be crowded đông
	持(も)ち込(こ)む	to bring inside mang vào
	申(もう)し込(こ)む	to apply đăng kí
	申込書(もうしこみしょ) →5-4	application form phiếu đăng kí
5画 VÀO	stuffed in	

7 荷 に		
	荷物(にもつ)	luggage, baggage hành lí
10画 HÀ, HẠ	baggage, load	

8 検 ケン		
	検査(けんさ)(する)	to inspect kiểm tra
	検索(けんさく)(する)	to search tìm kiếm
12画 KIỂM	examination	

9 査 サ		
	調査(ちょうさ)(する) →4-3	to inspect Điều tra
9画 TRA	audit, investigation	

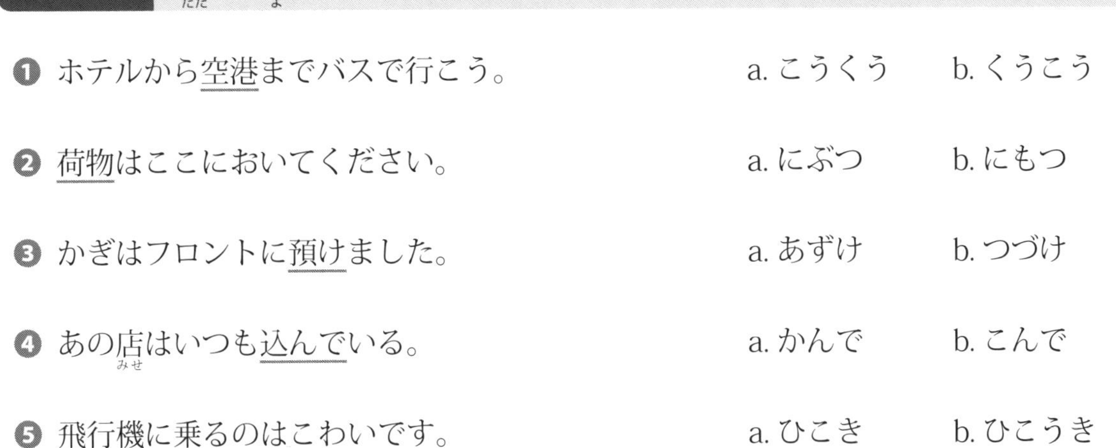

ドリル A　正しい読みをえらんでください。　1点×5

❶ ホテルから空港までバスで行こう。　a. こうくう　b. くうこう

❷ 荷物はここにおいてください。　a. にぶつ　b. にもつ

❸ かぎはフロントに預けました。　a. あずけ　b. つづけ

❹ あの店(みせ)はいつも込んでいる。　a. かんで　b. こんで

❺ 飛行機に乗(の)るのはこわいです。　a. ひこき　b. ひこうき

ドリル B　正しい漢字をえらんでください。　1点×5

❶ インターネットでその言葉(ことば)を＿＿(けん)索(さく)した。　a. 検　b. 研　c. 験

❷ コピー＿＿(き)は、どこにありますか。　a. 記　b. 械　c. 機

❸ アンケート調(ちょう)＿＿(さ)をしました。　a. 査　b. 且　c. 相

❹ 私(わたし)は＿＿(みなと)町(まち)で生(う)まれました。　a. 巷　b. 南　c. 港

❺ あの山(やま)の向(む)こうに＿＿(ひ)行場(こうじょう)がある。　a. 飛　b. 火　c. 非

ドリル C　正しいほうをえらんで、ぜんぶひらがなで＿＿に書(か)いてください。　1点×10

れい　天気(てんき)がいいから、（ⓐ公園　b. 道路）に行(い)きましょう。　こうえん

❶ このスキーツアーに（a. 申し込む　b. 持ち込む）なら明日(あした)までだ。　＿＿＿＿

❷ たくさんの鳥(とり)が、北(きた)の方(ほう)へ（a. 空いて　b. 飛んで）行(い)った。　＿＿＿＿

❸ しばらく犬(いぬ)を（a. 預かって　b. 込んで）もらうことにした。　＿＿＿＿

❹（a. 申込書　b. 預金）は、もう書(か)き終(お)わりましたか。　＿＿＿＿

❺（a. 機械　b. 機会）があったら、ぜひまた来(き)たい。　＿＿＿＿

飛行機(ひこうき)の中(なか)で（1）

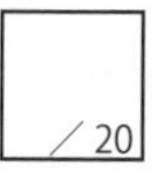

On the Airplane (1)／Trong máy bay(1)

こんな時間(じかん)なのに**満席**(まんせき)みたいだね。・・・ねえ、この**番号**(ばんごう)って通**路側**(つうろがわ)？

そう。**座席**(ざせき)代(か)わってあげようか。僕(ぼく)は通**路側**(つうろがわ)でいいよ。

"Looks like its full, even at this time… Hey, is this number for the aisle side?"
"Yes. Let's switch seats. I'm fine with the aisle side."

"Giờ này mà đã kín chỗ rồi. Này, số này là phía lối đi phải không?"
"Đúng rồi. Hay để tớ đổi chỗ cho. Tớ ngồi gần lối đi cũng được."

1 満 マン	満席(まんせき)	all seats filled / hết chỗ
	満員(まんいん)	filled to capacity / đủ người
	満室(まんしつ)	full occupancy, no vacancy / hết phòng
	満足(まんぞく)(な) →2-3	satisfying / mãn nguyện
	満足(まんぞく)(する) →2-3	to be satisfied / thỏa mãn
	不満(ふまん)	unsatisfied / bất mãn
12画 MÃN	full, satisfied	
2 席 セキ	私(わたし)の席(せき)	my seat / chỗ của tôi
	出席(しゅっせき)(する)	to attend, to be present / có mặt
	欠席(けっせき)(する)	to be absent / vắng mặt
10画 TỊCH	seat	
3 番 バン	一番(いちばん)	No. 1, the best / nhất
	～番目(ばんめ)	No. ～, st/nd/rd/th / thứ～
	9番(ばん) →別冊	No. 9 / thứ 9
	交番(こうばん) →2-5	police box / đồn cảnh sát
12画 PHIÊN	number(#), person on duty	
4 号 ゴウ	番号(ばんごう)	number / số
	3号車(ごうしゃ)	Car 3 / toa thứ 3
	信号(しんごう) →2-5	signal light, traffic light / đèn tín hiệu
	記号(きごう) →5-5	symbol / kí hiệu
5画 HIỆU	number, title	
5 路 ロ	通路(つうろ)	aisle, pathway / lối đi
	道路(どうろ)	road, street / đường đi
	線路(せんろ) →2-1	railway, train track / đường ray
13画 LỘ	path	
6 側 がわ	右側(みぎがわ)	right side / bên phải
	外側(そとがわ)	outside, outer side / bên ngoài
	通路側(つうろがわ)	aisle-side (seat) / phía lối đi
11画 TRẮC	side, adjacent	
7 座 すわ-る ザ	(～に)座(すわ)る	to sit / ngồi
	座席(ざせき)	seat / chỗ ngồi
	口座(こうざ)	bank account / tài khoản
10画 TỌA	sit	
8 窓 まど	窓(まど)	window / cửa sổ
	窓側(まどがわ)	window (seat) / phía cạnh cửa sổ
	窓口(まどぐち)	counter, point of contact / quầy
	窓(まど)ガラス	window pane / kính cửa
11画 SONG	window	

ドリル A　正しい読みをえらんでください。　1点×5

❶ 銀行は、まっすぐ行って右側にあります。　a. みぎがわ　b. みぎかた

❷ 先生も出席なさるそうです。　a. しゅっせき　b. しゅせき

❸ あの店は満員で、入れない。　a. まいいん　b. まんいん

❹ 私が３番目にスピーチをします。　a. ばんめ　b. かいめ

❺ いいスマホが買えて満足だ。　a. まんぞく　b. まんそく

ドリル B　正しい漢字をえらんでください。　1点×5

❶ ＿＿(すわ)ってください。　a. 席　b. 座　c. 度

❷ あなたの＿＿(せき)はどこですか。　a. 座　b. 度　c. 席

❸ かばんの内＿＿(がわ)にポケットがある。　a. 則　b. 測　c. 側

❹ この道＿＿(ろ)は、いま工事中です。　a. 路　b. 号　c. 歩

❺ ＿＿(まど)を開けてください。　a. 空　b. 室　c. 窓

ドリル C　正しいほうをえらんで、ぜんぶひらがなで＿＿に書いてください。　1点×10

れい 天気がいいから、（ⓐ公園　b. 道路）に行きましょう。　こうえん

❶ 銀行に（a. 満席　b. 口座）を作って預金した。　＿＿＿＿

❷ 飛行機に乗るなら、座席は（a. 通路　b. 道路）側がいい。　＿＿＿＿

❸ 私はこの部屋に（a. 満足　b. 不満）がある。せますぎる。　＿＿＿＿

❹ こたえは、a、b、c の（a. 信号　b. 記号）で書いてください。　＿＿＿＿

❺ 銀行の（a. 窓口　b. 窓ガラス）でカードについて質問した。　＿＿＿＿

飛行機(ひこうき)の中(なか)で（2）

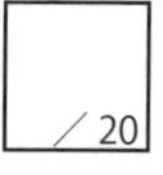

On the Airplane (2)／Trong máy bay (2)

このボタンを**押**(お)すと、ゲームの画**面**(がめん)になるよ。

これを**押**(お)すと、前(まえ)の画**面**(がめん)に**戻**(もど)るね。どんな番**組**(ばんぐみ)が見(み)られるか**確認**(かくにん)しようっと。

"If you push this button, the screen switches to game mode."
"If you push this button, the screen will go back. Let's see what kind of programs we can watch."

"Ấn nút này sẽ hiện lên màn hình chơi game."
"Ấn nút này thì sẽ quay về màn hình trước nhỉ. Xem chương trình gì bây giờ nhỉ, để xem nào."

1	押	お-す お-さえる	押す(お)	to push ấn, đẩy
			押し入れ(お い) / 押入れ(おし い)	to push in tủ
			押さえる(お)	to force down chặn, ấn
8画 ÁP				push

2	面	メン	面(めん)	aspect mặt
			画面(がめん)	screen màn hình
			場面(ばめん)	scene, setting bối cảnh
9画 DIỆN				surface, face

3	戻	もど-る もど-す	(～が)戻る(もど)	to return, to go back quay lại
			(～を)戻す(もど)	to return, to put back để lại chỗ cũ
7画 LỆ				return, go back

4	組	く-む くみ -ぐみ	番組(ばんぐみ)	program chương trình
			～組(くみ)	～ group, ～ set ～ cặp
			組む(く)	to form a pair or group lập, liên kết
			組み立てる(く た)	to put together, to construct lắp
11画 TỔ				group, class

5	確	たし-かめる たし-か カク	確かめる(たし)	to verify, to check xác nhận
			確か(たし)	definitely chắc là
			確か(な)(たし)	definite, reliable chính xác
			確かに(たし)	definitely, certainly chắc chắn
			正確(な)(せいかく)	accurate chính xác
14画 XÁC				verify, confirm

6	認	ニン	確認(する)(かくにん)	to verify, to confirm xác nhận
14画 NHẬN				acknowledge

7	直	なお-す なお-る チョク	(～を)直す(なお)	to fix, to correct sửa, chữa
			(～が)直る(なお)	to recover khỏi
			直後(ちょくご)	directly after ngay sau
			直線(ちょくせん) → 2-1	direct line đường thẳng
			直接(ちょくせつ) → 8-5	direct trực tiếp
8画 TRỰC				straight, direct, immediate

8	遊	あそ-ぶ ユウ	遊ぶ(あそ)	to play chơi
			遊園地(ゆうえんち)	amusement park công viên giải trí
12画 DU				play

ドリル A　正しい読みをえらんでください。　1点×5

1. このおもちゃ、組み立てられる？　a. くみたて　b. つみたて
2. 押し入れには、ふとんが入っています。　a. おしいれ　b. おすいれ
3. 子どものころ、よく遊園地に行った。　a. ゆえんち　b. ゆうえんち
4. 確か、テストは来週だったよね。　a. まさか　b. たしか
5. チケットは、私が買った直後に売り切れた。　a. ちょくご　b. ちょあと

ドリル B　正しい漢字をえらんでください。　1点×5

1. ここを＿＿（お）してください。　a. 押　b. 直　c. 申
2. パソコンが変なんだけど、＿＿（なお）せる？　a. 置　b. 真　c. 直
3. 妹のクラスは、三年一＿＿（くみ）です。　a. 組　b. 番　c. 席
4. 家に＿＿（もど）って、さいふを取ってきます。　a. 戸　b. 戻　c. 所
5. 「外で＿＿（あそ）んできなさい」「はーい」　a. 運　b. 遊　c. 選

ドリル C　正しいほうをえらんで、ぜんぶひらがなで＿＿に書いてください。　1点×10

れい　天気がいいから、（ⓐ公園　b. 道路）に行きましょう。　こうえん

1. 座席番号を（a. 確認　b. 正確）してください。　＿＿＿＿
2. この映画は、雪の（a. 面　b. 場面）がすてきなんです。　＿＿＿＿
3. パソコンの（a. 直接　b. 画面）が真っ黒になっちゃった。　＿＿＿＿
4. こわれていた洗たく機が（a. 直して　b. 直って）、よかった。　＿＿＿＿
5. いすを、もとの場所に（a. 戻って　b. 戻して）ください。　＿＿＿＿

UNIT 1
4

飛行機(ひこうき)の中(なか)で（3）

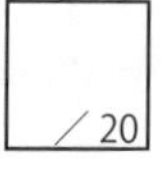

On the Airplane (3)／Trong máy bay (3)

パイロット：**現在**(げんざい)、東京(とうきょう)の天気(てんき)は…

雑誌読(ざっしよ)んでたら、**眠**(ねむ)くなっちゃった。ちょっと**寝**(ね)るね。

うん。私(わたし)は**読**書(どくしょ)する。本(ほん)を一**冊**(いっさつ)持(も)ってきたから。

(Pilot) "The current weather in Tokyo is…"
"I'm sleepy from reading magazines. I'm gonna sleep a bit."
"OK. I brought a book with me, so I'm going to read that."

(Phi công) "Thời tiết tại Tokyo hiện nay là…"
"Đọc báo buồn ngủ quá. Tớ ngủ chút nhé."
"Ừ, chắc tớ đọc sách. Tớ mang theo một quyển đây."

① 現	あらわ-れる / ゲン	
	現れる(あらわ)	to appear / xuất hiện
	現代(げんだい)	the present era / hiện đại
	現金(げんきん)	cash / tiền mặt
	表現(ひょうげん)(する) →8-1	to express, show / cách nói
11画 HIỆN		present, current

② 在	ザイ	
	現在(げんざい)	current, present / hiện tại
	不在(ふざい)	absence / không có nhà
6画 TẠI		existing

③ 雑	ザツ / ザッ-	
	雑誌(ざっし)	magazine / tạp chí
	雑音(ざつおん)	cacophany, noise / tạp âm
	複雑(ふくざつ)(な)	complicated / phức tạp
14画 TẠP		miscellany

④ 眠	ねむ-る / ねむ-い / ミン	
	眠い(ねむ)	sleepy, tired / buồn ngủ
10画 MIÊN		sleepiness

⑤ 寝	ね-る	
	寝る(ね)	to sleep / ngủ
	昼寝(ひるね)	afternoon nap / ngủ trưa
	寝坊(ねぼう)(する)	to oversleep / ngủ quên
13画 TẨM		sleep

⑥ 読	よ-む / よ-み / ドク	
	読書(どくしょ)	reading / đọc sách
	音読み(おんよ)	Chinese On'yomi reading / âm hán
	訓読み(くんよ)	Japanese Kun'yomi reading / âm nhật
14画 ĐỘC		read

⑦ 冊	サツ	
	～冊(さつ)	～ books, ～ copies, ～ issues / quyển
	※本(ほん)や雑誌(ざっし)を数(かぞ)えるときに使(つか)う言葉(ことば) →別冊	
5画 SÁCH		book, issue

⑧ 覚	さ-める / さ-ます / -ざ-まし / おぼ-える	
	目(め)が覚(さ)める	to awaken, to snap out of it / tỉnh giấc
	目(め)を覚(さ)ます	to wake up someone / tỉnh giấc
	覚える(おぼ)	to remember / nhớ
	目覚(めざ)まし時計(どけい)	alarm clock / đồng hồ báo thức
12画 GIÁC		remember, awaken

⑨ 代	か-わる / ダイ	
	代わる(か)	to replace, to substitute / đổi
	代わりに(か)	in place of, as a substitute, instead / thay
	時代(じだい)	era, period / thời đại
	代金(だいきん)	cost, bill / chi phí
	電気代(でんきだい)	electric bill / tiền điện
5画 ĐẠI		substitute, charge

ドリル A　正しい読みをえらんでください。　1点×5

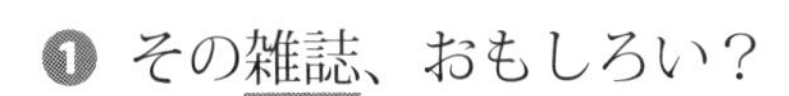

❶ その雑誌、おもしろい？　a. ざっし　b. ざし

❷ たくさんあるから、一冊あげるよ。　a. いっさつ　b. いっさく

❸ 現在、インターネットはご利用になれません。　a. げんざい　b. げんだい

❹ 私の趣味は、読書です。　a. どっしょ　b. どくしょ

❺ 今の時代、スマホくらい持たないと。　a. じだい　b. とけい

ドリル B　正しい漢字をえらんでください。　1点×5

❶ ＿＿（ねむ）くなってしまった。　a. 寝　b. 眼　c. 眠

❷ ＿＿（げん）金ではらってください。　a. 原　b. 現　c. 元

❸ 1時間、昼＿＿（ね）をした。　a. 寝　b. 察　c. 宿

❹ 母の＿＿（か）わりに料理をした。　a. 化　b. 代　c. 花

❺ この問題は、複＿＿（ざつ）でむずかしい。　a. 雑　b. 難　c. 集

ドリル C　正しいほうをえらんで、ぜんぶひらがなで＿＿に書いてください。　1点×10

れい　天気がいいから、（ⓐ公園　b. 道路）に行きましょう。　こうえん

❶（a. 空気　b. 寝坊）して、授業におくれてしまった。　＿＿＿＿

❷ 雑誌が（a. 何本　b. 何冊）あるか、かぞえてください。　＿＿＿＿

❸ 旅行のため、社長はしばらく（a. 代金　b. 不在）になります。　＿＿＿＿

❹ 雲の間から月が（a. 現れた　b. 代わった）。　＿＿＿＿

❺ 夜中の３時に目が（a. 覚め　b. 覚まし）てしまった。　＿＿＿＿

日本(にほん)の空港(くうこう)で

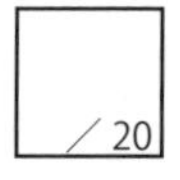

At the Japanese Airport／Tại sân bay Nhật Bản

係(かかり)の人(ひと)に入国(にゅうこく)の目(もく)**的**(てき)も聞(き)かれるよね。

うん。マリオは**留**学(りゅうがく)だよね。私(わたし)は仕事(しごと)。研**修**(けんしゅう)と言(い)ったほうがいいかな。

"The staff is going to ask our purpose for entering the country."
"OK. You're here as an exchange student. I'm here for work. I wonder if it would be better to say 'training'."

"Người ta sẽ hỏi mục đích nhập cảnh nhỉ."
"Ừ, Mario là du học. Còn tớ là làm việc. Có nên nói là thực tập không nhỉ."

1 係	かかり ケイ	係(かかり)	duty nhóm
		係員(かかりいん)	person in charge, staff người quản lí
		関係(かんけい)(する) →9-4	to connect, to relate quan hệ
9画 HỆ		person in charge	
2 的	テキ	目的(もくてき)	objective, target mục đích
		世界的(せかいてき)(な)	worldwide, international toàn thế giới
		～的(てき)(な)	related to ～ ～ kiểu
8画 ĐÍCH		target, relating to	
3 観	カン	観光(かんこう)	sightseeing, tourism thăm quan
		観客(かんきゃく) →5-1	tourist khách, khán giả
18画 QUAN		watch, see	
4 修	シュウ	研修(けんしゅう)(する)	to train thực tập
		修理(しゅうり)(する)	to repair sửa chữa
10画 TU		discipline, training	
5 留	と-まる と-める リュウ ル	留学(りゅうがく)(する)	to study abroad du học
		留守(るす) →7-4	away from home vắng nhà
		留守番(るすばん)	house sitting trông nhà
10画 LƯU		detain, halt	
6 泊	と-まる と-める ハク -パク	(～が)泊(と)まる	to stay overnight ở trọ, nghỉ lại
		(～を)泊(と)める	to put up for the night cho ở trọ
		1泊2日(いっぱくふつか)	2 days, 1 night hai ngày một đêm
		2泊3日(にはくみっか)	3 days, 2 nights ba ngày hai đêm
		宿泊(しゅくはく)(する) →4-2	to stay in lodgings ở trọ
8画 BẠC		stay overnight	
7 片	かた	片方(かたほう)	one side, one part một bên
		片手(かたて)	one hand một tay
		片付(かたづ)ける	to tidy up, to wrap it up dọn dẹp
4画 PHIẾN		fragment	
8 両	リョウ	両方(りょうほう)	both hai bên
		両側(りょうがわ)	both sides hai phía
		両手(りょうて)	both hands hai tay
		両親(りょうしん)	parents bố mẹ
6画 LƯỠNG		both	
9 替	か-える -が-える -がえ	着替(きが)える	to change clothes thay quần áo
		両替(りょうがえ)(する)	to money exchange đổi tiền
12画 THẾ		exchange	

ドリル A　正(ただ)しい読(よ)みをえらんでください。　1点×5

❶ 両親は今(いま)、旅行中(りょこうちゅう)です。　a. りょうしん　b. りょうおや

❷ 弟(おとうと)はアメリカに留学しています。　a. りゅうがく　b. りゅがく

❸ この調査(ちょうさ)の目的は何(なん)ですか。　a. もくてき　b. めてき

❹ くつしたが片方見(み)つからない。　a. かたほう　b. かたかた

❺ この試合(しあい)は、観客が多(おお)いね。　a. けんきゃく　b. かんきゃく

ドリル B　正(ただ)しい漢字(かんじ)をえらんでください。　1点×5

❶ ＿＿（かかり）の人(ひと)に聞(き)いてみよう。　a. 住　b. 係　c. 作

❷ 二(に)＿＿（はく）三日(みっか)で温泉(おんせん)に行(い)ってきた。　a. 白　b. 拍　c. 泊

❸ 京都(きょうと)を＿＿（かん）光(こう)するなら、まず、お寺(てら)だ。　a. 観　b. 感　c. 勧

❹ 新入社員(しんにゅうしゃいん)のための研(けん)＿＿（しゅう）がある。　a. 究　b. 修　c. 習

❺ ドルを円(えん)に両(りょう)＿＿（がえ）した。　a. 買　b. 返　c. 替

ドリル C　正(ただ)しいほうをえらんで、ぜんぶひらがなで＿＿に書(か)いてください。　1点×10

れい　天気(てんき)がいいから、（ⓐ公園　b. 道路）に行(い)きましょう。　こうえん

❶ こわれた洗(せん)たく機(き)を（a. 修理　b. 関係）できますか。　＿＿＿＿

❷ もっと動(うご)きやすい服(ふく)に（a. 着替え　b. 片付け）てください。　＿＿＿＿

❸ ケーキもドーナツも、（a. 両側　b. 両方）食(た)べたい。　＿＿＿＿

❹ サンドイッチは、（a. 両手　b. 片手）で食(た)べられて便利(べんり)だ。　＿＿＿＿

❺ 友達(ともだち)をうちに（a. 泊め　b. 泊まっ）てあげた。　＿＿＿＿

UNIT 1

まとめ問題 A

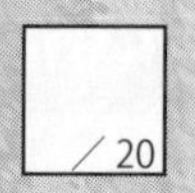

問題 1　＿＿＿の言葉の読み方として最もよいものを1・2・3・4から一つ選びなさい。

（1点×7）

1　飛行機で行くので、これから空港に行きます。

1　くうかん　　2　くうき　　3　くうけい　　4　くうこう

2　にもつは、ホテルのフロントに預けた。

1　あずけた　　2　うけた　　3　かけた　　4　よけた

3　テストが何時に始まるのか、確かめなくちゃ。

1　つかめ　　2　たかめ　　3　たすかめ　　4　たしかめ

4　この小説は、二人がデートする場面から始まる。

1　じょうめん　　2　じょうもん　　3　ばもん　　4　ばめん

5　夜ねる前に、10分ぐらい読書をしている。

1　とくしょ　　2　どくしょ　　3　とくしょう　　4　どくしょう

6　ご両親は、お元気ですか。

1　りょうしん　　2　ろうしん　　3　りょしん　　4　ろしん

7　現在、電話がつながりにくくなっております。

1　けんざい　　2　けんだい　　3　げんざい　　4　げんだい

問題 2　＿＿＿の言葉の書き方として最もよいものを1・2・3・4から一つ選びなさい。

（1点×7）

1　ここにあるにもつを運んでください。

1　何持　　2　何物　　3　荷持　　4　荷物

2　漢字がまちがっていたので、なおしておいてください。

1　押して　　2　押て　　3　直して　　4　直て

3　朝の5時に目がさめてしまった。

1　寝て　　2　寝めて　　3　覚て　　4　覚めて

4 ご質問は、かかりいんにお聞きください。

1 係員　2 系員　3 係園　4 系園

5 授業には、ちゃんとしゅっせきしなくちゃだめだよ。

1 出度　2 習度　3 出席　4 習席

6 ここにすわってもいいですか。

1 空わって　2 座って　3 好わって　4 番って

7 日本に来たもくてきは何ですか。

1 目的　2 組的　3 組号　4 目号

問題3 （　　）に入れるのに最もよいものを1・2・3・4から一つ選びなさい。　（1点×3）

1 病院でくわしい（　　）査を受けたほうがいい。

1 券　2 検　3 研　4 健

2 あのコピー（　　）はしゅうりをしなければならない。

1 台　2 器　3 械　4 機

3 きのう、雑誌を三（　　）買った。

1 本　2 冊　3 泊　4 代

問題4 （　　）に入れるのに最もよいものを1・2・3・4から一つ選びなさい。　（1点×3）

1 新しく会社に入った人は、2週間、（　　）を受ける。

1 機会　2 研修　3 確認　4 練習

2 重いから、（　　）では持てないよ。

1 片手　2 両手　3 機械　4 十冊

3 朝はいつも電車が（　　）います。

1 込んで　2 戻って　3 遊んで　4 眠って

まとめ問題 B

問題 つぎの文を読んで、しつもんに答えなさい。

マリオの文章

　前に日本語学校でいっしょだったリサさんと①空港で偶然会った。彼女も同じ②飛行機に乗ると聞いてびっくりした。飛行機は③満席だったけれど、リサさんのとなりに④座れて、いろいろ話すことができた。僕は⑤留学のために日本に来たが、リサさんの来日⑥目的は仕事だそうだ。まず⑦研修から始めて、うまく行けば、日本の本社の社員になるチャンスもあると言っていた。

　⑧座席についているモニターの⑨画面で⑩遊んだり、⑪読書したりしているうちに⑫眠くなって、ちょっと⑬寝た。東京に着いてから、お金を円に⑭両替した。日本で、リサさんといっしょに⑮観光もできるといいな。

問1 ①～⑮の漢字をひらがなにして、＿＿をぜんぶひらがなで書きなさい。　（1点× 15）

①	②	③	④	⑤
⑥	⑦	⑧	⑨	⑩
⑪	⑫	⑬	⑭	⑮

問2 上の文に合うように絵を並べます。どんな順番ですか。　（5点）

Put the following pictures in the right order.

Sắp xếp tranh cho hợp với đoạn văn trên. Sẽ thành thứ tự như thế nào?

a

b

c

d

（　　）⇒（　　）⇒（　　）⇒（　　）

UNIT 2 外出（がいしゅつ）

Going Outside

ra ngoài

1 駅（えき）のホームで At the Station Platform／Tại sân ga

2 乗（の）り換（か）えの駅（えき）で（1） At the Changing Station (1)／Tại ga đổi tàu (1)

3 乗（の）り換（か）えの駅（えき）で（2） At the Changing Station (2)／Tại ga đổi tàu (2)

4 電車（でんしゃ）の中（なか）で In the Train／Trong xe điện

5 交差点（こうさてん）で At the Intersection／Tại ngã tư

駅のホームで
えき

At the Station Platform／Tại sân ga

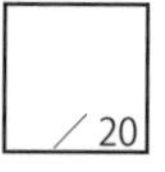

特急はこの駅を通**過**するけど、**快速**は止まるんでしょ？
（とっきゅう、えき、つうか、かいそく、と）

うん。**次**の**快速**は6番**線**から10時10分**発**だって。
（つぎ、かいそく、ばんせん、じ、ぷんはつ）

"The express train passes this station, but the rapid train stops here?"
"Yup. They said the next rapid train arrives on track 6 at 10:10."

"Tàu cao tốc thì đi qua ga này nhưng tàu nhanh thì dừng lại nhỉ?"
"Ừ. Tàu nhanh tiếp theo xuất phát lúc 10:10 từ đường số 6."

1 過　す-ぎる　す-ごす　カ

過ぎる	す	to exceed, to go past / trôi qua, quá
～時過ぎ	じ す	After ～ o'clock / hơn ～ giờ
過ごす	す	to pass the time, to spend time / trải qua
通過(する)	つうか	to pass by/through / đi qua
過去	かこ	the past / quá khứ

12画　QUÁ　exceed, pass by/through

2 快　カイ

快速	かいそく	rapid, express / tàu nhanh
快適(な) →6-3	かいてき	pleasant / dễ chịu

7画　KHOÁI　pleasant

3 速　はや-い　ソク

速い	はや	fast / nhanh
速度	そくど	speed / tốc độ
高速道路	こうそくどうろ	highway, expressway / đường cao tốc

10画　TỐC　fast, rapid

4 次　つぎ　ジ

次	つぎ	next / tiếp theo
次回	じかい	next time / lần tới
目次	もくじ	table of contents / mục lục

6画　THỨ　next

5 線　セン

6番線	ばんせん	No. 6 line / đường số 6
線路	せんろ	tracks / đường ray, đường tàu
直線	ちょくせん	straight line / đường thẳng

15画　TUYẾN　line, thread

6 発　ハツ　ハッ-　-パツ

10時発 ⇔～着	じはつ／ちゃく	departing at 10 o'clock / xuất phát lúc 10 giờ
東京発 ⇔～着	とうきょうはつ／ちゃく	departing from Tokyo / xuất phát từ Tokyo
発見(する)	はっけん	to find, to discover / phát hiện
出発(する) cf.到着(する) →6-4	しゅっぱつ／とうちゃく	to depart / xuất phát
発売(する) →8-1	はつばい	to sell, to release (for sale) / phát bán, bán
発表(する)	はっぴょう	to present / phát biểu

9画　PHÁT　launch, depart

7 普　フ

普通	ふつう	normal, regular / bình thường
普段 →3-1	ふだん	usual, ordinary / thông thường

12画　PHỔ　regular, common

8 各　カク　カッ-

各駅	かくえき	each station / các ga
各自	かくじ	each (and every) / từng người
各国	かっこく	each (and every) country / các nước
各クラス	かく	each (and every) class / các lớp

6画　CÁC　each, every

9 鉄　テツ

鉄	てつ	iron / sắt
鉄道	てつどう	railroad, railway / đường sắt
地下鉄	ちかてつ	subway / tàu điện ngầm

13画　THIẾT　iron

ドリル A　正しい読みをえらんでください。　1点×5

❶ 家から学校まで、直線で2キロぐらいだ。　a. ちょっきん　b. ちょくせん

❷ 9時10分発の新幹線に乗った。　a. はつ　b. ぱつ

❸ 次回の練習は1週間後です。　a. じかい　b. つぎかい

❹ ここは線路が近いから、うるさいね。　a. せんろ　b. どうろ

❺ 高速道路も込んでいるようだ。　a. こうそく　b. こうそう

ドリル B　正しい漢字をえらんでください。　1点×5

❶ もう11時＿＿ぎだ。（す）　a. 過　b. 速　c. 次

❷ 私は＿＿段、自転車で通学している。（ふ）　a. 不　b. 普　c. 夫

❸ この電車は＿＿駅にとまります。（かく）　a. 各　b. 名　c. 絡

❹ あの人は走るのが＿＿い。（はや）　a. 快　b. 速　c. 広

❺ 地下＿＿に乗ろう。（てつ）　a. 鉄　b. 銀　c. 銅

ドリル C　正しいほうをえらんで、ぜんぶひらがなで＿＿に書いてください。　1点×10

れい　天気がいいから、（ⓐ公園　b. 道路）に行きましょう。　こうえん

❶ バスが（a. 発見　b. 出発）する時間をしらべた。　＿＿＿＿

❷（a. 快速　b. 速度）電車はこの駅にとまらない。　＿＿＿＿

❸ 急行が（a. 通過　b. 発表）します。ご注意ください。　＿＿＿＿

❹ 特急は、（a. 2番線　b. 2番発）から出る。　＿＿＿＿

❺ 本の（a. 各国　b. 目次）を見れば、どんな本か、だいたいわかる。　＿＿＿＿

乗り換えの駅で（1）
のりかえのえき

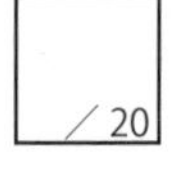

At the Changing Station (1)／Tại ga đổi tàu (1)

乗車**券**と特急**券**を買わなきゃ。
（じょうしゃけん　とっきゅうけん　か）

特急の**指定**席は**完**売か。自**由**席で行くしかないね。
（とっきゅう　していせき　かんばい　じゆうせき　い）

"We gotta buy a passenger ticket and express ticket."
"Reserved seat tickets for the express are sold out? We have to go non-reserved, I guess."

"Phải mua vé lên tàu và vé cao tốc."
"Vé ngồi chỉ định cao tốc hết mất rồi. Đành mua vé ngồi tự do vậy."

1	換	か-える / カン	乗り換える（のりかえる）	to switch, to change / đổi tàu
			乗り換え（のりかえ）	connection, layover / việc đổi tàu
			交換（する）（こうかん）→2-5	to trade, to exchange / đổi
12画	HOÁN		trade, exchange	
2	券	ケン	乗車券（じょうしゃけん）	train ticket / vé tàu
			特急券（とっきゅうけん）	express ticket / vé tàu nhanh
			招待券（しょうたいけん）	complimentary ticket / vé mời
			券売機（けんばいき）	ticket machine / máy bán vé
			入場券（にゅうじょうけん）	entrance ticket / vé vào cửa
8画	KHOÁN		ticket, coupon	
3	指	ゆび / シ	指（ゆび）	finger / ngón tay
			指輪（ゆびわ）	ring / nhẫn
			指定（する）（してい）	to designate / chỉ định
			指定席（していせき）	reserved seat, designated seating / ghế chỉ định
			指定券（していけん）	reserved seat ticket / vé chỉ định
9画	CHỈ		finger, point	
4	定	テイ	予定（よてい）	reservation / dự định
			定食（ていしょく）	meal set / suất ăn
			定員（ていいん）	the quota, capacity / chỉ tiêu người
			定休日（ていきゅうび）	regular holiday / ngày nghỉ định kì
			定価（ていか）→9-4	fixed price / giá niêm yết
8画	ĐỊNH		determined, set	
5	完	カン	完売（かんばい）	sold out / bán hết
			完成（する）（かんせい）→9-2	to complete / hoàn thành
			完全（な）（かんぜん）→2-4	complete / hoàn toàn
7画	HOÀN		complete	
6	由	ユウ	自由（じゆう）	freedom / tự do
			自由席（じゆうせき）	non-reserved seat / ghế tự do
			理由（りゆう）	reason / lí do
5画	DO		reason, cause	
7	復	フク	復習（する）（ふくしゅう）	to review / ôn tập
			往復（する）（おうふく）	to make a round trip / khứ hồi
12画	PHỨC		return, restore	
8	予	ヨ	予約（する）（よやく）→2-4	to reserve / đặt trước
			天気予報（てんきよほう）→7-1	weather forecast / dự báo thời tiết
			予算（よさん）→2-3	budget / ngân sách
4画	DỰ		preemptive	
9	習	なら-う / シュウ	予習（する）（よしゅう）	to study for, to prep for / học trước
			学習（する）（がくしゅう）	to learn, to study / học tập
11画	TẬP		learn	

ドリル A 正しい読みをえらんでください。 1点×5

❶ 足の指に、けがをしてしまった。 a. ゆび b. さき

❷ 来られない理由は何ですか。 a. りゆ b. りゆう

❸ あそこの券売機で切符を買おう。 a. けんばい b. かんばい

❹ 指定席は、まだあるかな。 a. さしてい b. してい

❺ 往復の切符を買おう。 a. おうふく b. おっぷく

ドリル B 正しい漢字をえらんでください。 1点×5

❶ 明日のために＿＿習しておこう。(よ) a. 子 b. 各 c. 予

❷ 入場＿＿を見せてください。(けん) a. 券 b. 完 c. 換

❸ レポートの＿＿成までもう少しだ。(かん) a. 完 b. 換 c. 復

❹ てんぷら＿＿食を注文した。(てい) a. 定 b. 由 c. 完

❺ 次の駅で乗り＿＿えなくちゃ。(か) a. 過 b. 換 c. 買

ドリル C 正しいほうをえらんで、ぜんぶひらがなで＿＿に書いてください。 1点×10

れい 天気がいいから、(ⓐ公園 b. 道路)に行きましょう。 こうえん

❶ これ、(a. 定価 b. 完売)は 1000 円なのに 500 円で買えた。 ＿＿＿＿

❷ 指定券を買わなかったから(a. 特急 b. 自由)席だよ。 ＿＿＿＿

❸ コンサートの(a. 招待券 b. 乗車券)がもらえてうれしい。 ＿＿＿＿

❹ まだ習っていないところを(a. 予習 b. 復習)した。 ＿＿＿＿

❺ お店、閉まってるね。あ、今日は(a. 定休 b. 予定)日だった。 ＿＿＿＿

乗り換えの駅で（2）

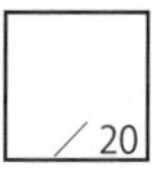

のかえき

At the Changing Station (2)／Tại ga đổi tàu (2)

特急券と乗車券の料金を**足**すと、１万円以上になるよ。お金、**足**りるかな。
（とっきゅうけん　じょうしゃけん　りょうきん　た　まん　えん　いじょう　かね　た）

支払いは、カードでもできるはずだよ。
（し　はら）

"The express ticket and passenger ticket fare added together is over 10,000 yen. We have enough money?"
"We should be able to pay with a credit card."

"Cộng cả tiền vé lên tàu và vé cao tốc là hơn 10.000 yên. Không biết có đủ tiền không."
"Trả bằng thẻ cũng được đấy."

1	足	あし、た-りる、た-す、ソク、ゾク	手足	てあし	arms and legs	chân tay
			足りる	た	to be sufficient	đủ
			足す	た	to add	thêm vào
			足し算（する）	た　ざん	to add	phép tính cộng
			不足（する）	ふそく	to be insufficient, to lack	thiếu
			１足 ※くつを数えるときに使う言葉 →別冊	そく（かぞ　つか　ことば）	a pair of	một đôi giày
			満足（な/する）	まんぞく	satisfaction	thỏa mãn
7画	TÚC		leg, foot, sufficient			
2	支	シ	支払い	しはら	payment	chi trả
			支出	ししゅつ	expenses	thu chi
			支店	してん	branch	chi nhánh
4画	CHI		support, branch			
3	払	はら-う	払う	はら	to repel, to pay	trả
			支払う	しはら	to pay money	trả tiền
5画	PHẤT		pay			
4	引	ひ-く、-び-き	引く	ひ	to pull, to subtract	kéo, trừ
			引き算（する）	ひ　ざん	to subtract	phép trừ
			割引（き）（する）→9-4	わりび	to discount	giảm giá
4画	DẪN		pull, subtract			
5	算	サン	計算（する）	けいさん	to calculate	tính toán
			予算	よさん	budget	ngân sách
14画	TOÁN		calculate			
6	費	ヒ	費用	ひよう	expense	chi phí
			会費	かいひ	membership fee	hội phí
			学費	がくひ	school expenses	học phí
			食費	しょくひ	meal expenses	tiền ăn
			交通費 →2-5	こうつうひ	travel expenses	phí giao thông
12画	PHÍ		expense, fee			
7	追	お-う、ツイ	追う	お	to chase, to pursue	đuổi
			追いかける	お	to chase after	đuổi theo
			追い越す	お　こ	to overtake	vượt
			追いつく	お	to catch up	đuổi kịp
			追加（する）→8-2	ついか	to add, to attach	thêm vào
9画	TRUY		chase, pursue			
8	越	こ-える、こ-す	越える	こ	to surpass, to closs over	vượt qua, trèo qua
			引っ越す	ひ　こ	to move house	chuyển nhà
			引っ越し	ひ　こ	moving house	việc chuyển nhà
12画	VIỆT		overcome, exceed			

ドリル A　正しい読みをえらんでください。　1点×5

❶ 料金が不足しています。　a. ふそく　b. ふぞく

❷ 1000円を800円に割引してくれた。　a. わりひき　b. わりびき

❸ この高校は学費が高い。　a. がっぴ　b. がくひ

❹ ちゃんと払ってくださいね。　a. あらって　b. はらって

❺ 新しいくつを一足買った。　a. ひとあし　b. いっそく

ドリル B　正しい漢字をえらんでください。　1点×5

❶ 来週、引っ＿＿(こ)しをする。　a. 来　b. 込　c. 越

❷ アメリカに＿＿(し)店を出すことになった。　a. 私　b. 支　c. 子

❸ パーティーの会＿＿(ひ)は、いくらですか。　a. 日　b. 用　c. 費

❹ 前を走っている選手に＿＿(お)いついた。　a. 追　b. 返　c. 込

❺ 予＿＿(さん)が足りなくて、これ買えない。　a. 参　b. 産　c. 算

ドリル C　正しいほうをえらんで、ぜんぶひらがなで＿＿に書いてください。　1点×10

れい　天気がいいから、（ⓐ公園　b. 道路）に行きましょう。　こうえん

❶ このサービスには（a. 追加　b. 費用）料金がかかります。　＿＿＿＿

❷（a. 引き算　b. 足し算）をすればいいんだよ。7－2＝5でしょ？　＿＿＿＿

❸ カードでもお（a. 支払い　b. 追い越し）いただけます。　＿＿＿＿

❹（a. 追いかけ　b. 計算し）たけど、バスに乗っちゃったみたいです。　＿＿＿＿

❺ 水がなくなったら、（a. 足りて　b. 足して）ください。　＿＿＿＿

電車の中で

でんしゃ なか

In the Train／Trong xe điện

／20

おかしいな。ずっと**停**車(ていしゃ)してるね。事**故**(じこ)でもあったのかな？

困(こま)ったね。**約束**(やくそく)の時間(じかん)に**遅**(おく)れるって、**連絡**(れんらく)しなきゃ。

"Strange… we've been stopped here forever. Wonder if there was an accident?"
"Oh dear. I gotta call and say we'll be late."

"Lạ thật. Tàu dừng lâu thế nhỉ. Có tai nạn gì chăng?"
"Phiền quá. Phải liên lạc báo tới muộn giờ hẹn thôi."

1 停 と-まる / と-める / テイ		
	(〜が)停(と)まる ※「止まる」とも書(か)く	to stop / đỗ xe
	(〜を)停(と)める ※「止める」とも書(か)く	to stop, to park / đỗ, dừng
	停車(ていしゃ)(する)	to park a car / đỗ xe
	各駅停車(かくえきていしゃ)	train that stops at each station / tàu đỗ từng ga
	バス停(てい)	bus stop / bến xe bus
	停留所(ていりゅうじょ)	station stop / bến đỗ xe
11画 ĐÌNH	stop (vehicle), bus stop	

2 故 コ		
	事故(じこ)	accident / tai nạn
	交通事故(こうつうじこ) →2-5	traffic accident / tai nạn giao thông
9画 CỐ	cause	

3 困 こま-る		
	困(こま)る	to be troubled / khó khăn, khó xử
	困難(こんなん)(な) →4-2	troublesome / khó khăn
7画 KHỐN	trouble	

4 約 ヤク		
	予約(よやく)(する)	to reserve / đặt trước, đặt chỗ
	約(やく)1万人(まんにん)	about 10,000 people / khoảng 10 nghìn người
9画 ƯỚC	approximate, binding	

5 束 たば / ソク		
	花束(はなたば)	flower bouquet / bó hoa
	約束(やくそく)(する)	to promise / hứa
7画 THÚ	bundle	

6 遅 おく-れる / おそ-い / チ		
	遅(おく)れる	to be late, to be delayed / muộn, chậm
	遅(おそ)い	slow, late / chậm, muộn
	遅刻(ちこく)(する) cf. 早退(そうたい)(する) →8-1	to be late / đến muộn giờ
12画 TRÌ	slow, late	

7 連 つ-れる / レン		
	連(つ)れていく	to take along / dắt đi
	連(つ)れてくる	to bring along / dắt đến
	連休(れんきゅう)	consecutive holidays / ngày nghỉ liên tiếp nhau
10画 LIÊN	take along, connecting	

8 絡 ラク		
	連絡(れんらく)(する)	to contact / liên lạc
13画 LẠC	connection	

9 全 ゼン		
	安全(あんぜん)(な)	safe, secure / an toàn
	完全(かんぜん)(な)	complete / hoàn hảo
	全然(ぜんぜん)〜ない →7-1	not 〜 at all / hoàn toàn không 〜
	全員(ぜんいん)	all members, all employees / toàn bộ mọi người
	全部(ぜんぶ) →3-4	all, everything / toàn bộ, tất cả
6画 TOÀN	all, everything	

ドリル A　正しい読みをえらんでください。
ただ　　　　　よ

1点×5

❶ 電車が遅れています。
でんしゃ

a. おそれ　　　b. おくれ

❷ プレゼントに花束をもらった。

a. はなたば　　b. かびん

❸ この電車は各駅停車です。
かくえきていしゃ

a. ていしゃ　　b. でんしゃ

❹ クラス全員で歌を歌った。
うた　　うた

a. ぜいいん　　b. ぜんいん

❺ 彼にはまだ連絡していません。
かれ

a. れんらく　　b. やくそく

ドリル B　正しい漢字をえらんでください。
ただ　　　　かんじ

1点×5

❶ 観客は＿＿5000人だった。
かんきゃく　　にん
やく

a. 紹　　b. 絡　　c. 約

❷ バス＿＿は、どこですか
てい

a. 停　　b. 他　　c. 低

❸ ここは、夜に外出しても安＿＿だ。
よる　がいしゅつ　　あん
ぜん

a. 金　　b. 全　　c. 企

❹ 日本語がわからなくて＿＿った。
に ほん ご
こま

a. 因　　b. 困　　c. 回

❺ ＿＿くなって、すみません。
おそ

a. 遅　　b. 連　　c. 選

ドリル C　正しいほうをえらんで、ぜんぶひらがなで＿＿に書いてください。
ただ　　　　　　　　　　　　　　　　　　　　　か

1点×10

れい 天気がいいから、(ⓐ公園　b. 道路) に行きましょう。　　　こうえん
てん き　　　　　　　　　　　　　　い

❶ パーティーに友達を (a. 連れて　b. 遅れて) 行きます。　　＿＿＿＿＿
ともだち　　　　　　　　　　　　　い

❷ 寝坊して、(a. 遅刻　b. 連休) してしまった。　　＿＿＿＿＿
ね ぼう

❸ さっき (a. 事故　b. 約束) があって、道路が込んでいる。　　＿＿＿＿＿
どう ろ　こ

❹ テストがあることを (a. 全然　b. 完全) に忘れていた！　　＿＿＿＿＿
わす

❺ 旅行の前に新幹線を (a. 予約　b. 停車) しておこう。　　＿＿＿＿＿
りょこう　まえ　しんかんせん

交差点で（こうさてん）

At the Intersection／Tại ngã tư

□／20

この信号（しんごう）、ずっと赤（あか）だね。大きい（おおきい）交差点（こうさてん）だからかなあ。

横断歩道（おうだんほどう）じゃなくて、歩道橋（ほどうきょう）を渡（わた）ろうよ。

"This light has been red forever. Probably since it's a large intersection."
"Let's forget the crosswalk and use the pedestrian overpass."

"Đèn này đỏ suốt nhỉ. Chắc tại ngã tư lớn chăng."
"Đừng đi bằng vạch qua đường, đi bằng cầu vượt đi."

1 交 コウ		
	交番（こうばん）	police box / đồn cảnh sát
	交流（こうりゅう）(する)	to interact, to mingle / giao lưu
	交通（こうつう）	traffic, transportation / giao thông
	交換（こうかん）(する)	to trade, to exchange / đổi
6画 SAI	crossing, interaction	

2 差 サ		
	交差点（こうさてん）	intersection / ngã tư
	時差（じさ）	time delay, time difference / chênh lệch múi giờ
	差し上げる（さしあげる）	to give, to bestow / kính ngữ của động từ "あげる"
10画 ĐIỂM	difference, gap	

3 点 テン		
	終点（しゅうてん）	terminal / điểm cuối, ga cuối
	90点（てん）	90 points / 90 điểm
	注意点（ちゅういてん）	point of caution, important point / điểm chú ý
	点線（てんせん）	dotted line / đường ngắt khúc
	欠点（けってん） →5-3	fault, defect / khuyết điểm
9画 TÍN	point, dot, ignite	

4 信 シン		
	信号（しんごう）	traffic light, signal / đèn tín hiệu
	信じる（しんじる）	to believe / tin
	信用（しんよう）(する)	to believe, to trust / tin tưởng
	自信（じしん）	self-confidence / tự tin
	返信（へんしん）(する)	to reply / trả lời tin
	送信（そうしん）(する)	to send / gửi tin
9画 GIAO	belief, faith	

5 横 よこ オウ		
	横（よこ）	sideways, horizontal / ngang
	横断（おうだん）(する)	to cross / đi qua đường
	横断歩道（おうだんほどう）	crosswalk / vạch qua đường
15画 HOÀNH	side, horizontal	

6 断 ことわ-る ダン		
	断る（ことわる）	to decline, to refuse / từ chối, xin phép
	判断（はんだん）(する)	to determine, to pass judgement / phán đoán, quyết định
11画 ĐOẠN	cut through	

7 橋 はし キョウ		
	橋（はし）	bridge / cầu
	歩道橋（ほどうきょう）	pedestrian overpass / cầu đi bộ
16画 KIỀU	bridge	

8 渡 わた-る わた-す		
	道を渡る（みちをわたる）	to cross, to transfer / đi qua
	渡す（わたす）	to pass, to hand over / đưa
12画 ĐỘ	cross over, transfer	

9 危 あぶ-ない キ		
	危ない（あぶない）	dangerous, Watch out! / nguy hiểm
	危険（きけん）(な)	dangerous / nguy hiểm
6画 NGUY	danger	

10 険 ケン		
	保険証（ほけんしょう） →5-3	insurance card / thẻ bảo hiểm
11画 HIỂM	steep, danger	

ドリル A　正しい読みをえらんでください。　1点×5

1. デートを申し込んだが、断られた。　a. ことわられ　b. ふられ
2. 道路を横断するときは、左右をよく見て。　a. ようだん　b. おうだん
3. メールをもらったら、返信しよう。　a. へんじ　b. へんしん
4. この紙を点線のところで切ってください。　a. てっせん　b. てんせん
5. 歩道橋の上から富士山が見える。　a. ほうどきょう　b. ほどうきょう

ドリル B　正しい漢字をえらんでください。　1点×5

1. お金を拾ったので、＿＿(こう)番に届けに行った。　a. 公　b. 校　c. 交
2. ここは工事中だから、危＿＿(けん)だ。　a. 検　b. 険　c. 験
3. テレビの＿＿(よこ)にスピーカーを置いた。　a. 様　b. 橋　c. 横
4. ＿＿(あぶ)ない！ 気をつけて。　a. 断　b. 危　c. 渡
5. ＿＿(はし)を渡ると、右手に図書館が見える。　a. 指　b. 様　c. 橋

ドリル C　正しいほうをえらんで、ぜんぶひらがなで＿＿に書いてください。　1点×10

れい　天気がいいから、（ⓐ公園　b. 道路）に行きましょう。　こうえん

1. 東京とパリには、8時間の（a. 時差　b. 交通）がある。　＿＿＿＿
2. 次のテストで100点をとる（a. 欠点　b. 自信）がある。　＿＿＿＿
3. この駅が（a. 終点　b. 注意点）だ。降りなくちゃ。　＿＿＿＿
4. あの人の言うことなら、（a. 信号　b. 信用）できる。　＿＿＿＿
5. 欠席した人に、プリントを（a. 渡って　b. 渡して）ください。　＿＿＿＿

UNIT 2

まとめ問題 A

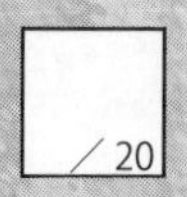

問題 1　＿＿＿の言葉の読み方として最もよいものを１・２・３・４から一つ選びなさい。

（１点×７）

1 次回のコンサートは２か月後です。

1　じっかい　　2　じかい　　3　けっかい　　4　けつかい

2 冬のブーツは、何足持っていますか。

1　なんぞく　　2　なんちゃく　　3　なんぼん　　4　なんびき

3 遅れてしまって、すみません。

1　つかれて　　2　おくれて　　3　やぶれて　　4　おそれて

4 また会おうね。約束だよ。

1　やくそく　　2　やっそく　　3　よんそく　　4　よそく

5 先生、これはクラス全員からのプレゼントです。

1　ぜんたい　　2　ぜったい　　3　ぜんいん　　4　ぜいいん

6 この交差点は、事故が多いから気をつけて。

1　こさてん　　2　こさってん　　3　こうさってん　　4　こうさてん

7 どうして学校を休んだの？　何か理由があるの？

1　りゆ　　2　りゆう　　3　りいゆ　　4　りいゆう

問題 2　＿＿＿の言葉の書き方として最もよいものを１・２・３・４から一つ選びなさい。

（１点×７）

1 つぎの駅で、特急にのりかえるよ。

1　乗り買える　　2　乗り帰る　　3　乗り換える　　4　乗り返る

2 このCD、リサさんにわたしてくれない？

1　直して　　2　私して　　3　渡して　　4　追して

3 注文した品物がとどくまでに、やく１週間かかるそうだ。

1　速　　2　各　　3　絡　　4　約

4 きのう、ここでこうつう事故があった。

1 交通　2 交道　3 公道　4 公通

5 レストランで食事したお金は、兄がはらってくれた。

1 支って　2 払って　3 支らって　4 払らって

6 こまったことがあったら、いつでも連絡してください。

1 固まった　2 困まった　3 固った　4 困った

7 ちゃんとスピーチできるかなあ。じしんがないよ。

1 自心　2 自信　3 自身　4 自進

問題3 （　　）に入れるのに最もよいものを1・2・3・4から一つ選びなさい。（1点×3）

1 新しいゲームは、世界（　　）国で人気になっている。

1 名　2 各　3 欠　4 出

2 家族4人で、食（　　）は1か月にいくらぐらいかかりますか。

1 算　2 器　3 費　4 代

3 次の急行は、2番（　　）から出ますよ。

1 席　2 券　3 線　4 点

問題4 （　　）に入れるのに最もよいものを1・2・3・4から一つ選びなさい。（1点×3）

1 横断歩道を（　　）ときは、左右をよく見ましょう。

1 出発する　2 停車する　3 断る　4 渡る

2 この本の何ページに書いてあるか、本の（　　）で確認しよう。

1 目次　2 各自　3 指定　4 予定

3 セールで（　　）になっていたから、この服、買っちゃった。

1 予算　2 普通　3 安全　4 割引

まとめ問題 B

問題 つぎの文を読んで、しつもんに答えなさい。

マリオの文章

①連休にリサさんといっしょにちょっと遠くまで出かけた。②各駅停車だと時間がかかるから、まず③快速電車に乗って、大きな駅で④特急に⑤乗り換えた。特急は⑥指定券が売り切れで、⑦自由席になった。きっぷの⑧料金は、カードで⑨払った。乗った特急が途中で⑩遅れて心配したけど、⑪予定どおり友だちに会えて、⑫約束していたおみやげのクッキーを⑬渡すことができた。友だちは、⑭危なく見える山道も上手に運転して、車であちこち⑮連れて行ってくれた。

問1 ①〜⑮の漢字をひらがなにして、＿＿をぜんぶひらがなで書きなさい。（1点× 15）

①	②	③	④	⑤
⑥	⑦	⑧	⑨	⑩
⑪	⑫	⑬	⑭	⑮

問2 文章の内容と合う絵に○、合わない絵に×をつけなさい。（1点× 4）

Place a circle ◯ under the pictures that match the passage and an × under the pictures that do not.

Hãy đánh dấu ◯ vào tranh phù hợp, dấu × vào tranh không phù hợp với nội dung đoạn văn.

a

（　　）

b

（　　）

c

（　　）

d

（　　）

UNIT 3 リサの生活(せいかつ)

Lisa's Daily Life

Cuộc sống của Lisa

1 住(す)んでいるところ place of residence／nơi đang sống

2 仕事(しごと)の話(はなし) Talking about Work／Chuyện công việc

3 ピザの配達(はいたつ) Pizza Delivery／Pizza phát tận nhà

4 ごみの捨(す)て方(かた) How to Dispose of Trash／Cách vứt rác

5 郵便局(ゆうびんきょく)へ To the Post Office／Đến bưu điện

UNIT 3
1

住(す)んでいるところ

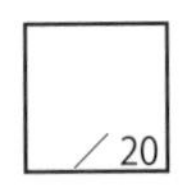

place of residence／nơi đang sống

その**角**(かど)を**曲**(ま)がったところが私(わたし)のマンションだよ。**非常階段**(ひじょうかいだん)のところから富士山(ふじさん)が見(み)えるんだ。

へえ、いいねえ。

"My apartment is right at that corner. You can see Mt. Fuji from the emergency stairway.
"Really? How nice."

"Rẽ ở góc kia là tới chỗ tớ ở. Từ cầu thang thoát hiểm có thể nhìn thấy núi Phú Sĩ."
"Ồ… tuyệt quá."

① 活 カツ		
	生活(せいかつ)(する)	to live one's life / sinh hoạt, sống
	活動(かつどう)(する)	to take action, to be active / hoạt động
	活躍(かつやく)(する)	to be active, to flourish / tích cực hoạt động
9画 HOẠT	active, lively	

② 角 かど カク		
	角(かど)	corner, angle / góc
	角度(かくど)	angle / góc độ
	四角(しかく)い	square / hình vuông
	三角(さんかく)	triangle / hình tam giác
7画 GIÁC	angle, horn	

③ 曲 ま-がる ま-げる キョク		
	(～が)曲(ま)がる	to bend, to turn / rẽ
	角(かど)を曲(ま)がる	to turn the corner / biến góc
	(～を)曲(ま)げる	to bend / bẻ
	曲線(きょくせん)	curved line / đường cong
	曲(きょく)	song / ca khúc
	作曲(さっきょく)(する)	to write a song / sáng tác ca khúc
6画 KHÚC	turn, bend	

④ 非 ヒ		
	非常口(ひじょうぐち)	emergency exit / cửa thoát hiểm
	非科学的(ひかがくてき)(な)	unscientific / phi khoa học
	非(ひ)～的(てき)(な)	used for negation / một cách phi ～
	非常(ひじょう)に	extremely / vô cùng
8画 PHI	negation	

⑤ 常 ジョウ		
	日常(にちじょう)	daily, regular / thường ngày
	日常的(にちじょうてき)(な)	daily, regularly / thường xuyên
	正常(せいじょう)(な)	normal, proper / chuẩn, đúng
	常識(じょうしき)	common knowledge / thường thức
11画 THƯỜNG	usual, normal	

⑥ 階 カイ		
	階段(かいだん)	stairs, stairway / cầu thang
	２階(かい) →別冊	2nd floor / tầng 2
12画 GIAI	stairs	

⑦ 段 ダン		
	値段(ねだん) →4-5	price / giá
	普段(ふだん)	usual, ordinary / thông thường
	段(だん)ボール	cardboard / thùng các-tông
9画 ĐOẠN	level, grade	

⑧ 向 む-く む-かう む-こう コウ		
	南向(みなみむ)き	facing south / quay về hướng Nam
	(～に)向(む)かう	to face, to head towards / hướng
	向(む)こう	over there, across the way / bên kia
	方向(ほうこう)	direction / phương hướng
6画 HƯỚNG	face towards, head towards	

ドリル A 正しい読みをえらんでください。 1点×5

❶ 二つ目の角を左に行くと、銀行がある。 a. かく b. かど

❷ この字、曲がってるよ。まっすぐ書かなきゃ。 a. まがって b. さがって

❸ 普段は、学校まで自転車で通っている。 a. ふつう b. ふだん

❹ クラシックなら、この曲が一番好きだ。 a. きょうく b. きょく

❺ パンを切って、四角いサンドイッチを作った。 a. よんかく b. しかく

ドリル B 正しい漢字をえらんでください。 1点×5

❶ レストランは、このビルの4＿＿だ。(かい) a. 会 b. 回 c. 階

❷ この山の＿＿こうに海がある。(む) a. 何 b. 向 c. 尚

❸ 三＿＿と丸、どっちのケーキがいい？(かく) a. 各 b. 角 c. 階

❹ 日本の生＿＿を楽しんでいます。(かつ) a. 舌 b. 括 c. 活

❺ その考え方は＿＿科学的だと思う。(ひ) a. 非 b. 費 c. 日

ドリル C 正しいほうをえらんで、ぜんぶひらがなで＿＿に書いてください。 1点×10

れい 天気がいいから、（ⓐ公園 b. 道路）に行きましょう。 こうえん

❶ このサークルは毎月1回、（a. 活動 b. 角度）している。 ＿＿＿＿

❷ ビルが火事になったら、（a. 非常口 b. 日常）から逃げるんだよ。 ＿＿＿＿

❸ 検査の結果は（a. 非常 b. 正常）だった。 ＿＿＿＿

❹ エレベーターじゃなく、（a. 階段 b. 曲線）を使おう。 ＿＿＿＿

❺ 富士山は、西の（a. 方向 b. 常識）に見えるはずだよ。 ＿＿＿＿

仕事の話（しごとのはなし）

Talking about Work／Chuyện công việc

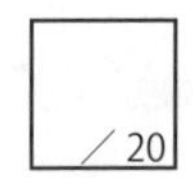

研究（けんきゅう）センターの仕事（しごと）って**実**験（じっけん）が多（おお）いんでしょ？

うん。**失**敗（しっぱい）して、**原因**（げんいん）を考（かんが）えて…。なかなか**結果**（けっか）は出（で）ないけど、勉強（べんきょう）になるよ。

"Do you do many experiments at the research center?"
"Yeah. We fail and have to consider the cause. The results we want don't come easy, but it's a learning experience."

"Công việc ở trung tâm nghiên cứu chắc nhiều thí nghiệm lắm nhỉ?"
"Ừ. Thật bại thì lại tìm nguyên nhân… Mãi không ra kết quả nhưng rất bổ ích."

1	実	み / ジツ / ジッ-	実	み	fruit / quả
			実験	じっけん	experiment / thử nghiệm
			実際に →8-5	じっさい	actually / thực tế
			事実	じじつ	reality, truth / sự thực
			実力	じつりょく	true strength/power/ability / thực lực
			実は	じつ	actually…, the truth is… / thực ra
	8画	THỰC	reality, truth		
2	失	シツ / シッ-	失敗(する)	しっぱい	to fail, to lose / thất bại
			失礼(な) →6-2	しつれい	rude / vô lễ
			失礼(する) →6-2	しつれい	pardon me for -ing / Tôi xin phép
	5画	THẤT	loss		
3	原	はら / ゲン	野原	のはら	plains, field / thảo nguyên
			原っぱ	はら	open field / đồng cỏ
			原料	げんりょう	ingredients, components / nguyên liệu
			原子力	げんしりょく	nuclear energy / năng lượng nguyên tử
	10画	NGUYÊN	source, origin		
4	因	イン	原因	げんいん	cause / nguyên nhân
	6画	NHÂN	cause		
5	結	むす-ぶ / ケツ / ケッ-	結ぶ	むす	to tie / buộc
			結論 →9-3	けつろん	conclusion / kết luận
			結婚(する) →9-5	けっこん	to marry / kết hôn
			結局 →3-5	けっきょく	in the end…, ultimately… / kết cục
	12画	KẾT	tie together		
6	果	カ	結果	けっか	result, effect / kết quả
			果物★	くだもの	fruit / hoa quả
	8画	QUẢ	result, effect		
7	晩	バン	毎晩	まいばん	every night / hằng tối
			今晩	こんばん	tonight / tối nay
			晩ご飯	ばんはん	dinner / cơm tối
			昨晩 →8-1	さくばん	last night / đêm qua
	12画	VÃN	evening, night		
8	無	な-い / ム / ブ	無い	な	There is no ～ / không
			無理(する)	むり	to overexert oneself, to attempt more than is reasonable / cố
			無理(な)	むり	impossible, unreasonable / vô lí
			無料	むりょう	free, no charge / miễn phí
			無休	むきゅう	without holiday, no days off / không nghỉ
			無事(な)	ぶじ	no problem, OK / vô sự, bình an
	12画	VÔ	devoid, nothingness		

ドリル A　正しい読みをえらんでください。　1点×5

❶ 子どものとき、近所の原っぱでよく遊んだ。　a. げん　b. はら

❷ 秋になると、この木には赤い実がつくよ。　a. み　b. じ

❸ どんな果物が好きですか。　a かぶつ　b. くだもの

❹ 来週、日本語の実力テストがある。　a. じつりょく　b. じりき

❺ 右側の言葉と左側の言葉を結んでください。　a. むすんで　b. まなんで

ドリル B　正しい漢字をえらんでください。　1点×5

❶ 火事の原____(いん)は、たばこの火だった。　a. 因　b. 回　c. 困

❷ この山の____(む)こうに海がある。　a. 何　b. 向　c. 尚

❸ 毎____(ばん)、遅くまでゲームをしている。　a. 勉　b. 免　c. 晩

❹ ____(しっ)敗した。予約するのを忘れちゃった。　a. 矢　b. 失　c. 夫

❺ あの二人、____(けっ)婚するかもしれない。　a. 結　b. 絡　c. 紹

ドリル C　正しいほうをえらんで、ぜんぶひらがなで____に書いてください。　1点×10

(れい) 天気がいいから、(ⓐ公園　b. 道路) に行きましょう。　こうえん

❶ チーズの (a. 原料　b. 無料) は、ミルクです。　____

❷ 先生に「これ貸して。」と言うのは (a. 失礼　b. 結論) だ。　____

❸ 試験の (a. 原因　b. 結果) は明日わかる。合格できるといいな。　____

❹ 考えるだけじゃなく (a. 実験　b. 実際) にやってみよう。　____

❺ そんな早い時間に行くなんて (a. 無理　b. 無休) だ。　____

ピザの配達（はいたつ）

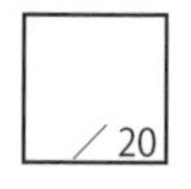

Pizza Delivery／Pizza phát tận nhà

お昼（ひる）は、ピザを注文（ちゅうもん）して、**配達**（はいたつ）してもらおう。

宅配（たくはい）ピザだね。**楽**（らく）だし、**希望**（きぼう）の時間**帯**（じかんたい）に**届**（とど）けてもらえるしね。

"I'm going to order pizza delivery for lunch."
"Home delivery pizza, eh? It's so easy, and you can have it delivered in whatever time frame you wish."

"Bữa trưa để tớ đặt pizza rồi họ chuyển phát tới nhà."
"Pizza phát tới nhà nhỉ. Vừa tiện vừa phát vào khung giờ mình yêu cầu."

1	配	くば-る／ハイ／パイ	配る（くば）	to distribute／chia, phân phát
			配達（はいたつ）(する)	to deliver／chuyển phát
			配送料（はいそうりょう）	cost of delivery, shipping fee／phí gửi hàng
			心配（しんぱい）(する)	to worry／lo lắng
			心配（しんぱい）(な)	worrisome／đáng lo lắng
10画	PHỐI			delivery
2	達	タツ／ダチ	速達（そくたつ）	express shipping／chuyển phát nhanh
			上達（じょうたつ）(する)	to excel at／nâng cao, khá lên
			発達（はったつ）(する)	to develop, to grow／phát triển
			友達（ともだち）	friends／bạn bè
12画	ĐẠT			accomplishment
3	宅	タク	宅配（たくはい）	home delivery／phát hàng đến tận nhà
			自宅（じたく）	one's home／nhà riêng
			お宅（たく）	home／nhà anh/chị
			住宅（じゅうたく）	residence／nhà ở
6画	TRẠCH			home
4	楽	たの-しい／ガク／ガッ／ラク	楽（らく）(な)	easy, comfortable／thoải mái, nhẹ nhàng
			楽しい（たの）	fun／vui vẻ
			音楽（おんがく）	song, music／âm nhạc
			楽器（がっき） →3-4	musical instrument／nhạc cụ
13画	LẠC			fun, pleasure, easy
5	希	キ	希望（きぼう）(する)	to hope／nguyện vọng, mong muốn
7画	HY			rare, hope
6	望	のぞ-む／ボウ	望む（のぞ）	to hope／mong
			失望（しつぼう）(する)	to lose hope, to despair／thất vọng
11画	VỌNG			hope, gaze
7	帯	タイ	時間帯（じかんたい）	time range, time zone／khung thời gian
			工業地帯（こうぎょうちたい）	industrial zone／khu công nghiệp
10画	ĐỚI			sash
8	届	とど-く／とど-ける	(～が)届く（とど）	～ will arrive／đến nơi
			(～を)届ける（とど）	to deliver ～／gửi, nộp
8画	GIỚI			deliver, reach a destination
9	額	ガク	金額（きんがく）	amount (of money)／giá tiền
			半額（はんがく）	half price／nửa giá
			全額（ぜんがく）	the full amount／toàn bộ tiền
18画	NGẠCH			price, value

ドリル A 正しい読みをえらんでください。 1点×5

❶ このプリントを配ってください。 a. くばって b. はらって

❷ 指定席で行くほうが楽だけど、1000円高い。 a. がく b. らく
していせきい　　　　　　　えんたか

❸ 先生のお宅にうかがいました。 a うち b. たく

❹ 会社に望むことがあれば、どうぞ言ってください。 a. のぞむ b. たのむ

❺ 「楽器がひけますか」「はい。ピアノなら」 a. がくき b. がっき

ドリル B 正しい漢字をえらんでください。 1点×5

❶ 心＿＿しないでください。（ぱい） a. 酒 b. 酔 c. 配

❷ 友＿＿に会いに行った。（だち） a. 遅 b. 達 c. 違

❸ 毎＿＿、遅くまでゲームをしている。（ばん） a. 勉 b. 免 c. 晩

❹ その時間＿＿はアルバイト中です。（たい） a. 帯 b. 常 c. 席

❺ 金＿＿は同じでも、デザインはこっちがいい。（がく） a. 楽 b. 学 c. 額

ドリル C 正しいほうをえらんで、ぜんぶひらがなで＿＿に書いてください。 1点×10

れい 天気がいいから、（ⓐ公園 b. 道路）に行きましょう。 こうえん

❶ がんばった結果、日本語が（a. 上達 b. 速達）した。 ＿＿＿＿

❷ お年寄りのための（a. 住宅 b. 工業地帯）が注目されている。 ＿＿＿＿
としよ　　　　　　　　　　ちゅうもく

❸ 買い物の代金は（a. 全額 b. 金額）カードで支払った。 ＿＿＿＿
かものだいきん　　　　　　　　しはら

❹ 2000円以上買うと、（a. 交通費 b. 配送料）が無料になる。 ＿＿＿＿
えんいじょうか　　　　　　　　　　　むりょう

❺ この前の実力試験の結果が（a. 届いた b. 届けた）。 ＿＿＿＿
まえじつりょくしけんけっか

UNIT 3
4

ごみの捨て方（す かた）

How to Dispose of Trash／Cách vứt rác

プラスチック容器（ようき）って、全部（ぜんぶ）「燃（も）えるごみ」？

市（し）によって違（ちが）うみたい。はい、この袋（ふくろ）に入（い）れて。段（だん）ボール箱（ばこ）はリサイクルね。

"Do all plastic containers go in「燃えるごみ」?"
"It's different depending on the city. Yeah, put it in that bag. Cardboard gets recycled."

"Đồ đựng bằng nhựa đều là "rác chạy được" à?"
"Tùy từng thành phố quy định khác nhau. Đây, cho vào túi này. Còn thùng cac-ton thì tái sử chế."

1	捨	す-てる	捨てる（す）	to throw away / vất, bỏ
11画	XẢ			throw away

2	器	キ	容器（ようき）→4-5	container / vật dụng để đựng
			食器（しょっき）	tableware / bát đĩa
			楽器（がっき）	musical instrument / nhạc cụ
15画	KHÍ			container

3	部	ブ	全部（ぜんぶ）	all, everything / tất cả
			一部（いちぶ）	one portion, one part / một phần
			部分（ぶぶん）	part / từng phần
			学部（がくぶ）	university department / khoa
			部長（ぶちょう）	department head / trưởng khoa, trưởng phòng
			部屋★（へや）	room / phòng
11画	BỘ			part

4	燃	も-える も-やす	(〜が)燃える（も）	to burn / cháy
			(〜を)燃やす（も）	to burn / đốt
16画	NHIÊN			burn

5	違	ちが-う	(〜と)違う（ちが）	to be different, to be incorrect / khác
			間違う（まちが）	to be in error / nhầm
			間違える（まちが）	to make an error / nhầm lẫn
			間違い（まちが）	error, mistake / sai sót
13画	VY			different, incorrect

6	袋	ふくろ -ぶくろ	袋（ふくろ）	bag, sack / túi
			紙袋（かみぶくろ）	paper bag / túi giấy
			ビニール袋（ぶくろ）	plastic bag / túi ni-lon
11画	ĐẠI			bag, sack

7	箱	はこ -ばこ	箱（はこ）	box / hộp
			段ボール箱（だん ばこ）	cardboard box / thùng giấy
			ごみ箱（ばこ）	trash bin / thùng rác
15画	SƯƠNG, TƯƠNG			box

8	量	リョウ	量（りょう）	amount, volume / lượng
			数量（すうりょう）→4-5	quantity / số lượng
			音量（おんりょう）	(sound) volume / âm lượng
12画	LƯỢNG			amount, volume

9	再	サイ サ	再利用(する)（さいりよう）	to recycle / tái sử dụng
			再会(する)（さいかい）	to reunite / gặp lại
			再来年（さらいねん）	the year after next / năm sau nữa
			再来週（さらいしゅう）	the week after next / tuần sau nữa
6画	TÁI			once again

ドリル A　正しい読みをえらんでください。　1点×5

❶ この段ボール、捨てるの？　a. もてる　b. すてる

❷ 食器売り場はどこかな。　a. しょくき　b. しょっき

❸ ここを押せば、音量を変えることができる。　a. おとりょう　b. おんりょう

❹ 買ったものは、その袋に入っています。　a. ふくろ　b. ぶくろ

❺ 再来年、父が70歳になります。　a. さらいねん　b. さいらいねん

ドリル B　正しい漢字をえらんでください。　1点×5

❶ このガラス容___、きれいで便利そう。（き）　a. 機　b. 気　c. 器

❷ その答え、間___ってるよ。（ちが）　a. 遅　b. 達　c. 違

❸ 全___、食べちゃったの？（ぶ）　a. 部　b. 分　c. 無

❹ このへんに、ごみ___はありますか？（ばこ）　a. 相　b. 箱　c. 席

❺「___えるごみ」はここに捨てて。（も）　a. 燃　b. 然　c. 焼

ドリル C　正しいほうをえらんで、ぜんぶひらがなで___に書いてください。　1点×10

れい　天気がいいから、（ⓐ 公園　b. 道路）に行きましょう。　こうえん

❶ あのレストラン、おいしいけど（a. 量　b. 間違い）が少ないよ。　___

❷ 久しぶりに友達に（a. 再利用　b. 再会）できて、うれしかった。　___

❸ その事件を知っているのは（a. 部分　b. 一部）の人だけだ。　___

❹ 私の（a. 部屋　b. お宅）は、あのマンションの5階です。　___

❺ 今週は先週と（a. 違って　b. 間違って）、かなり暖かい。　___

郵便局(ゆうびんきょく)へ

To the Post Office／Đến bưu điện

／20

これ、何(なに)？イベントの**案内**(あんない)？

そう。市**役**所(しやくしょ)から届(とど)いたの。
あっ、それで思(おも)い出(だ)した。**郵便局**(ゆうびんきょく)に**公共**料金(こうきょうりょうきん)を払(はら)いに行(い)かないと。

"What's this? An event guide?"
"Yeah. Ah, that reminds me. I need to go to the post office and pay my utility bill."

"Cái này là gì vậy? Hướng dẫn sự kiện gì à?"
"Ừ, à nhớ ra rồi. Tớ phải đi tới bưu điện để trả tiền điện nước."

1 郵 ユウ		
	郵便(ゆうびん)	postal service bưu chính
	郵送(ゆうそう)(する)	to mail (via postal service) gửi đường bưu điện
11画 BƯU	postal mail	

2 案 アン		
	案内(あんない)(する)	to guide, to lead hướng dẫn
	案(あん)	suggestion đề xuất, phương án
	計画案(けいかくあん)	blueprint bản kế hoạch
	提案(ていあん)(する)	to suggest, to propose đề xuất
10画 ÁN	suggestion	

3 内 うち ナイ		
	内側(うちがわ)	inside, interior phía trong
	内容(ないよう) →4-3	contents nội dung
	内部(ないぶ)	interior, inside bên trong
	3日以内(かいない)	within three days trong vòng 3 ngày
	国内(こくない)	domestic trong nước
	車内(しゃない)	within the vehicle trong xe
4画 NỘI	within	

4 役 ヤク		
	市役所(しやくしょ)	city hall ủy ban thành phố
	役割(やくわり) →9-4	role, duty vai trò
	役員(やくいん)	staff, executive ban điều hành
	役(やく)に立(た)つ	to be of use giúp ích
7画 DỊCH	duty, job	

5 局 キョク		
	郵便局(ゆうびんきょく)	post office bưu điện
	薬局(やっきょく) →8-1	pharmacy cửa hàng thuốc
	テレビ局(きょく)	TV station đài truyền hình
	結局(けっきょく)	in the end..., ultimately... kết cục
7画 CỤC	bureau, office	

6 公 コウ		
	公園(こうえん)	public park công viên
	公立(こうりつ) →9-3 cf. 私立(しりつ) →9-3	public công lập
	公平(こうへい)(な) →9-1	fair, equitable công minh
	公務員(こうむいん)	civil servant công chức
4画 CÔNG	public	

7 共 キョウ		
	公共(こうきょう)	public, community công cộng
	共通(きょうつう)(する)	to share, to have in common có chung
	共通点(きょうつうてん)	point in common điểm chung
6画 CỘNG	together, shared	

8 務 ム		
	事務(じむ)	office work công việc văn phòng
	事務室(じむしつ)	office văn phòng (phòng ban trong một cơ quan)
	事務所(じむしょ)	office văn phòng
11画 VỤ	work	

ドリル A　正しい読みをえらんでください。　1点×5

❶ 郵便は、まだ来ませんか。　a. ゆびん　b. ゆうびん

❷ ちょっと薬局まで行ってきます。　a. やっきょく　b. やっきょうく

❸ 姉は公立の大学へ行っています。　a こうりつ　b. こうたつ

❹ 海外旅行より国内旅行のほうが好きだ。　a. くにない　b. こくない

❺ 音楽は、世界共通のことばだと思う。　a. きょうつう　b. きょつう

ドリル B　正しい漢字をえらんでください。　1点×5

❶ ＿＿(こう)園でバーベキューをしよう。　a. 交　b. 公　c. 港

❷ 事＿＿(む)室の人に説明してもらった。　a. 預　b. 努　c. 務

❸ あそこに観光＿＿(あん)内所があるよ。　a. 安　b. 案　c. 要

❹ スマホは、勉強の＿＿(やく)に立つと思う。　a. 焼　b. 訳　c. 役

❺ 申込書は＿＿(ゆう)送してください。　a. 郵　b. 遊　c. 由

ドリル C　正しいほうをえらんで、ぜんぶひらがなで＿＿に書いてください。　1点×10

れい　今日いっしょに（ⓐ買物　b. 電車）に行きませんか。　かいもの

❶ かばんの（a. 内側　b. 車内）にポケットがあると、便利だね。　＿＿＿＿

❷ 電気料金やガス料金って、（a. 公共　b. 事務）料金だよね。　＿＿＿＿

❸ この仕事は1時間（a. 結局　b. 以内）に終わらせます。　＿＿＿＿

❹ 彼は、アンケートをしてみようと（a. 提案　b. 内容）した。　＿＿＿＿

❺ 私の父は、ふじデパートの（a. 公務員　b. 役員）をしています。　＿＿＿＿

まとめ問題A

問題1　＿＿＿の言葉の読み方として最もよいものを1・2・3・4から一つ選びなさい。

（1点×7）

1 今日は私がこの町をご案内します。

1　あんない　　2　あない　　3　あんうち　　4　あんち

2 再来年、また日本に行くつもりです。

1　さいらいねん　　2　さいらいどし　　3　さらいねん　　4　さらいどし

3 なぜ失敗してしまったのか、原因がよくわからない。

1　げいん　　2　げんにん　　3　げんいん　　4　げにん

4 今晩、また会いましょう。

1　こんばん　　2　きょうばん　　3　こばん　　4　きょばん

5 吉田さんは私たちの共通の友達です。

1　きょつう　　2　きょうづう　　3　きょづう　　4　きょうつう

6 アルバイトで毎朝新聞を配っています。

1　はいって　　2　くばって　　3　とって　　4　わたって

7 郵便局に行って荷物を送らなきゃ。

1　ゆびんきょく　　2　ゆうびんきょく　　3　ゆびんきょうく　　4　ゆうびんきょうく

問題2　＿＿＿の言葉の書き方として最もよいものを1・2・3・4から一つ選びなさい。

（1点×7）

1 まちがっているところにチェックしておいてください。

1　間異って　　2　問異って　　3　問違って　　4　間違って

2 毎日じっけんで忙しい。

1　試験　　2　失礼　　3　実験　　4　事件

3 私の子供はこうりつの小学校に行っています。

1　国立　　2　公立　　3　私立　　4　市立

4 会社の寮に住むことをきぼうしています。

1 希望　2 気望　3 期望　4 起望

5 これ、ふくろに入れてください。

1 箱　2 器　3 袋　4 紙

6 次の角を右にまがってください。

1 間がって　2 由がって　3 真がって　4 曲がって

7 この機械はせいじょうに動いています。

1 正上　2 正常　3 成上　4 成常

問題3　（　　）に入れるのに最もよいものを1・2・3・4から一つ選びなさい。　（1点×3）

1 南（　　）きの部屋に住みたいです。

1 行　2 向　3 好　4 後

2 私はテレビ（　　）の社員になって、いい番組を作りたい。

1 店　2 場　3 局　4 所

3 それは（　　）科学的な考え方だと思います。

1 不　2 未　3 無　4 非

問題4　（　　）に入れるのに最もよいものを1・2・3・4から一つ選びなさい。　（1点×3）

1 使った（　　）は自分で洗ってください。

1 食事　2 食物　3 食器　4 食堂

2 ここにごみを（　　）てはいけません。

1 燃え　2 捨て　3 心配し　4 無理し

3 調査の（　　）、本を読まない大学生がいることがわかった。

1 結果　2 事実　3 数量　4 無料

まとめ問題 B

問題 つぎの文を読んで、しつもんに答えなさい。

マリオの文章

リサさんのマンションに行った。①南向きで明るい部屋だった。②市役所や研究センターから近くて、③生活しやすそうだ。ランチに④半額キャンペーン中の⑤宅配ピザを⑥注文した。⑦希望した時間に、⑧配達員がバイクでピザを⑨届けに来た。ゴミがたくさん出たので、リサさんといっしょにビニールの⑩袋に入れた。リサさんは⑪段ボールの⑫箱は⑬捨てないで、ほかのことに⑭再利用しているそうだ。昼ごはんの後で、いっしょに⑮郵便局に行った。

問1 ①～⑮の漢字をひらがなにして、＿＿をぜんぶひらがなで書きなさい。 （1点×15）

①	②	③	④	⑤
⑥	⑦	⑧	⑨	⑩
⑪	⑫	⑬	⑭	⑮

問2 文章の内容と合う絵に○、合わない絵に×をつけなさい。 （1点×4）

Place a circle ○ under the pictures that match the passage and an × under the pictures that do not.

Hãy đánh dấu ○ vào tranh phù hợp, dấu × vào tranh không phù hợp với nội dung đoạn văn.

a

（　　）

b

（　　）

c

（　　）

d

（　　）

UNIT 4 マリオの生活（1）

せいかつ

Mario's Daily Life (1)

Cuộc sống của Mario (1)

1 留学生会館 Study Abroad Center／Hội quán lưu học sinh
りゅうがくせいかいかん

2 日本語の授業 Japanese Language Class／giờ học tiếng Nhật
にほんご　じゅぎょう

3 資料集 Class Materials／Tập tài liệu
しりょうしゅう

4 歴史の授業 History Class／Giờ học lịch sử
れきし　じゅぎょう

5 近所の店 Local Shop／Cửa hàng gần nhà
きんじょ　みせ

留学生会館
りゅうがくせいかいかん

Study Abroad Center／Hội quán lưu học sinh

／20

留学生会館(りゅうがくせいかいかん)の**冷蔵庫**(れいぞうこ)、小**型**(こがた)なのに３人(にん)で使(つか)うんだよ。

でも、冷**房**(れいぼう)も**暖**房(だんぼう)もあって、食事(しょくじ)も出(で)るんでしょ？　いいじゃない。

"We have 3 people using this small refrigerator in the foreign exchange student building."
"But at least they provide air conditioning, heating and meals, right? That's not so bad."

"Tủ lạnh ở kí túc xá, cỡ nhỏ mà những 3 người dùng chúng đấy."
"Nhưng có cả điều hòa nóng lạnh, có cả ăn nữa. Tốt quá còn gì."

1	冷	ひ-える / ひ-やす / さ-める / さ-ます / つめ-たい / レイ	冷たい	つめ	cold / lạnh
			(～が)冷える	ひ	to get cold / bị lanhj
			(～を)冷やす	ひ	to cool, to chill / làm lạnh
			(～が)冷める	さ	to cool off, to get cold / nguội
			(～を)冷ます	さ	to let cool / làm nguội
			冷房	れいぼう	cooler, A/C / điều hòa lạnh
	7画	LÃNH	cold (to the touch)		
2	蔵	ゾウ	冷蔵庫	れいぞうこ	refrigerator / tủ lạnh
	15画	TÀNG	storage area		
3	庫	コ	金庫	きんこ	safe / két sắt
			車庫	しゃこ	garage / gara ô tô
			倉庫	そうこ	warehouse / nhà kho
	10画	KHỐ	storage area, garage		
4	型	かた / -がた	大型	おおがた	large scale/size / cỡ lớn
			新型	しんがた	new model / loại mới
	9画	HÌNH	type, model		
5	房	ボウ	暖房	だんぼう	heater / điều hòa ấm
			文房具	ぶんぼうぐ	stationery / văn phòng phẩ
	8画	BÀNG, PHÒNG	apparatus, workshop		
6	暖	あたた-まる / あたた-める / あたた-かい / ダン	(～が)暖まる	あたた	to warm up / ấm
			(～を)暖める	あたた	to warm up, to heat up / làm ấm
			暖かい	あたた	warm / ấm
	13画	NOÃN	warm (weather, surroundings)		
7	凍	こお-る / トウ	凍る	こお	to freeze / đóng băng
			冷凍庫	れいとうこ	freezer / tủ lạnh
			冷凍食品	れいとうしょくひん	frozen goods / thực phẩm đông lạnh
	10画	ĐÔNG	frozen		
8	温	あたた-まる / あたた-める / あたた-かい / オン	(～が)温まる	あたた	to warm up / ấm
			(～を)温める	あたた	to warm up, to heat up / làm ấm
			温かい	あたた	warm, hot / ấm, nóng
			温度	おんど	temperature / độ ấm
			体温	たいおん	body temperature / nhiệt độ cơ thể
			気温	きおん	air temperature / nhiệt độ
			温泉	おんせん	hot spring / suối nước nóng
	12画	ÔN	warm (to the touch)		

ドリル A　正しい読みをえらんでください。　1点×5

❶ 手が冷たくなっちゃった。　a. ひえたく　b. つめたく

❷ 冷蔵庫の中にジュースが入れてある。　a. れぞうこ　b. れいぞうこ

❸ 姉は大型のトラックが運転できる。　a. だいかた　b. おおがた

❹ 冬になって、池の水が凍ってしまった。　a. こおって　b. こうって

❺ 連休に温泉へ行くつもりだ。　a. おんせん　b. うんせん

ドリル B　正しい漢字をえらんでください。　1点×5

❶ 今の気＿＿(おん)は18度だ。　a. 温　b. 暖　c. 運

❷ 大切な書類なので、金＿＿(こ)の中に入れてある。　a. 庫　b. 固　c. 戸

❸ ＿＿(あたた)かくなって、いろいろな花がさき始めた。　a. 温　b. 暖　c. 厚

❹ 夏は＿＿(れい)房がないと、困る。　a. 泊　b. 冷　c. 凍

❺ 新＿＿(がた)インフルエンザにかかった。　a. 形　b. 方　c. 型

ドリル C　正しいほうをえらんで、ぜんぶひらがなで＿＿に書いてください。　1点×10

れい 天気がいいから、（ⓐ公園　b. 道路）に行きましょう。　こうえん

❶（a. 温かい　b. 暖かい）コーヒーが飲みたい。　＿＿＿＿

❷ ビールを（a. 冷え　b. 冷やし）ておきましたよ。　＿＿＿＿

❸（a. 冷凍　b. 温度）食品のピザを電子レンジにかけてください。　＿＿＿＿

❹ スープは（a. 冷め　b. 冷まさ）ないうちに召し上がってください。　＿＿＿＿

❺ 電気ストーブで部屋を（a. 暖め　b. 暖まっ）ている。　＿＿＿＿

日本語の授業

にほんご　じゅぎょう

Japanese Language Class／giờ học tiếng Nhật

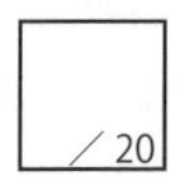

学校(がっこう)はどう？ どんな**授**業(じゅぎょう)が楽(たの)しい？

「日本語会話(にほんごかいわ)」かな。まだ上**級**(じょうきゅう)じゃないから、**単**語(たんご)も文**法**(ぶんぽう)もそんなに**難**(むずか)しくないし。

"How were classes? Which ones were fun?"
" 'Japanese Conversation' was alright. It's not advanced level yet, so the vocabulary and grammar wasn't so difficult."

"Lisa: Giờ học ở trường thế nào? Giờ nào vui?"
"Giờ 'hội thoại tiếng Nhật' chăng. Vẫn chưa phải lớp nâng cao nên từ và ngữ pháp vẫn chưa khó."

1	授	ジュ	授業(じゅぎょう)	class, course / giờ học
			教授(きょうじゅ)	teacher, professor / giáo sư
11画	THỤ		receive, bestow	
2	級	キュウ	上級(じょうきゅう)	advanced (level) / trình độ cao
			初級(しょきゅう) →5-1	beginner (level) / sơ cấp
			3級(きゅう)	level 3, grade 3 / cấp độ 3
			高級(こうきゅう)(な)	high class, high level / cao cấp, đắt tiền
9画	CẤP		level, grade	
3	単	タン	単語(たんご)	vocabulary word / từ đơn
			単位(たんい)	unit, credit / đơn vị
9画	ĐƠN		single, simple	
4	法	ホウ, -ポウ	文法(ぶんぽう)	grammar / ngữ pháp
			方法(ほうほう)	method, way / phương pháp
			法学部(ほうがくぶ)	law department / khoa luật
8画	PHÁP		law, rule	
5	難	むずか-しい, ナン	難(むずか)しい	difficult / khó
			困難(こんなん)(な)	difficult, troublesome / khó khăn
18画	NẠN		difficult	
6	簡	カン	簡単(かんたん)(な)	easy, simple / đơn giản
18画	GIẢN		simple	
7	専	セン	専門(せんもん)	specialization, major / chuyên môn
			専門家(せんもんか)	specialist, expert / nhà chuyên môn
9画	CHUYÊN		specialize, exclusively	
8	宿	シュク	宿題(しゅくだい)	homework / bài tập
			宿泊(しゅくはく)(する)	to stay in lodging / ở trọ
11画	TÚC		lodging	
9	受	う-ける, う-かる, ジュ	受(う)ける	to receive, to accept / nhận, tiếp nhận
			試験(しけん)に受(う)かる	to take an exam / đỗ kì thi
			受(う)け取(と)る	to accept / nhận
			受付(うけつけ) →5-4	reception (desk) / lễ tân
			受験(じゅけん)(する)	to take an exam / dự thi
			受信(じゅしん)(する)	to receive a message / nhận tin
			受賞(じゅしょう)(する) →5-5	to receive an award / giành giải thưởng
8画	THỤ		receive, accept	
10	般	ハン, パン	一般(いっぱん)	in general / thông thường
			一般的(いっぱんてき)(な)	usual, general, ordinary / kiểu thông thường
10画	BAN		in general	

ドリル A 正しい読みをえらんでください。 1点×5

❶ 去年は初級のクラスだった。 a. しょきゅう b. しょうきゅ

❷ 文法の勉強が大変だ。 a. ぶんぽう b. ぶんぽ

❸ この授業は、週に1回だけだ。 a. じゅうぎょ b. じゅぎょう

❹ 朝からメールの受信ができなくて困っている。 a. じゅうしん b. じゅしん

❺ 帰ったら宿題をしないといけない。 a. しゅくだい b. しゅうくだい

ドリル B 正しい漢字をえらんでください。 1点×5

❶ ＿＿(せん)門家の意見が聞きたい。 a. 検 b. 研 c. 専

❷ この問題は＿＿(むずか)しいと思う。 a. 雑 b. 類 c. 難

❸ ＿＿(かん)単に話せる外国語って、何だろう。 a. 間 b. 簡 c. 関

❹ これ、プレゼントです。＿＿(う)け取ってください。 a. 受 b. 宇 c. 労

❺ 入場料は子ども500円、一＿＿(ぱん)1000円です。 a. 船 b. 段 c. 般

ドリル C 正しいほうをえらんで、ぜんぶひらがなで＿＿に書いてください。 1点×10

れい 天気がいいから、（ⓐ公園 b. 道路）に行きましょう。 こうえん

❶ ホテルに（a. 宿題 b. 宿泊）なさるんですか。それとも旅館ですか。 ＿＿＿＿

❷ この辺は、（a. 上級 b. 高級）ブランドのお店ばかりだ。 ＿＿＿＿

❸ ちゃんと（a. 受験 b. 単位）を取らないと大学を卒業できない。 ＿＿＿＿

❹ どんなに（a. 困難 b. 方法）でも、一度決めたら最後までやろう。 ＿＿＿＿

❺ 彼のお父さんは大学の（a. 教授 b. 専門）だ。 ＿＿＿＿

資料集

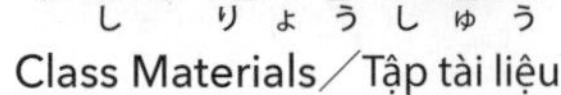

Class Materials／Tập tài liệu

□ ／20

これは辞書（じしょ）？

それは資料集（しりょうしゅう）。情報（じょうほう）の整理（せいり）や、調査（ちょうさ）の準備（じゅんび）に使（つか）うんだ。

"Is this a dictionary?"
"That's a collection of materials used to organize information and prepare research."

"Đây là từ điển hả?"
"Là tài liệu. Tớ dùng để chỉnh lí thông tin và chuẩn bị điều tra."

① 資 シ		
	資料（しりょう）	materials, documents tài liệu
	資格（しかく）→8-5	certification, qualification tư cách, chứng chỉ
	資源（しげん）	resources tài nguyên
13画 TƯ		assets, materials

② 集 あつ-まる あつ-める シュウ		
	(〜が)集（あつ）まる	to gather tập chung
	(〜を)集（あつ）める	to gather, to collect thu gom, sưu tập
	集合（しゅうごう）(する)	to meet up, to rendezvous tập chung, tập hợp
	集中（しゅうちゅう）(する)	to focus tập trung
	集金（しゅうきん）(する)	to gather money thu tiền
	写真集（しゃしんしゅう）	photo album album ảnh
	集団（しゅうだん）→5-5	group tập thể
12画 TẬP		gather, collect

③ 辞 や-める ジ		
	辞書（じしょ）	dictionary từ điển
	辞典（じてん）	dictionary từ điển
	辞（や）める	to quit, to resign thôi, từ bỏ
13画 TỪ		language, resign

④ 情 ジョウ		
	情報（じょうほう）→7-1	information thông tinh
	事情（じじょう）	situation hoàn cảnh, tình hình
	感情（かんじょう）→6-2	feelings, emotions cảm tính
	苦情（くじょう）→6-1	complaint phàn nạn
11画 TÌNH		emotion, empathy

⑤ 整 セイ		
	整理（せいり）(する)	to organize sắp xếp
	調整（ちょうせい）(する)	to adjust điều chỉnh
16画 CHỈNH		organize

⑥ 調 しら-べる チョウ		
	調（しら）べる	to research điều tra
	調査（ちょうさ）(する)	to investigate, to audit điều tra
	調子（ちょうし）	condition tình trạng
	調味料（ちょうみりょう）	seasoning, flavoring gia vị
	調節（ちょうせつ）(する)	to adjust điều chỉnh
15画 ĐIỀU		investigate, research

⑦ 進 すす-む すす-める シン		
	(〜が)進（すす）む	to progress tiến
	(〜を)進（すす）める	to progress, to move forward tiến hành
	進歩（しんぽ）(する)	to make progress tiến bộ
	進学（しんがく）(する)	to progress to the next stage of schooling học lên cao
	前進（ぜんしん）(する)	to move forward tiến về phía trước
11画 TIẾN		progress

ドリル A　正しい読みをえらんでください。　1点×5

❶ 朝9時にここに集合してください。　a. しゅごう　b. しゅうごう

❷ 遅れた事情を説明させてください。　a. じゆう　b. じじょう

❸ 今月でアルバイトを辞めようと思う。　a. やめよう　b. きめよう

❹ 新しいパソコンの調子はどう？　a. ちょうし　b. ちょうこ

❺ 新聞や本でもっと調べるつもりだ。　a. ならべる　b. しらべる

ドリル B　正しい漢字をえらんでください。　1点×5

❶ この国には石油や金などの＿＿源が多い。（し）　a. 次　b. 誌　c. 資

❷ 引っ越しの荷物を＿＿理しなくちゃ。（せい）　a. 正　b. 整　c. 世

❸ 英語の＿＿書を見ながら、英作文を書いた。（じ）　a. 字　b. 事　c. 辞

❹ 図書館でお寺の写真＿＿を見た。（しゅう）　a. 集　b. 修　c. 週

❺ その＿＿報は正しいのだろうか。（じょう）　a. 静　b. 清　c. 情

ドリル C　正しいほうをえらんで、ぜんぶひらがなで＿＿に書いてください。　1点×10

れい　天気がいいから、（ⓐ公園　b. 道路）に行きましょう。　こうえん

❶ しょうゆ以外に何か（a. 資料　b. 調味料）を使いますか。　＿＿＿＿

❷ 卒業したら働くの？　それとも（a. 進学　b. 前進）する？　＿＿＿＿

❸ 今、事故の原因を（a. 調査　b. 集中）しているそうだ。　＿＿＿＿

❹ その時計は10分（a. 進んで　b. 進めて）いる。　＿＿＿＿

❺ 広場に人が（a. 集まって　b. 集めて）いる。これから何かあるのかな。　＿＿＿＿

UNIT 4
4

歴史の授業

れきし じゅぎょう

History Class／Giờ học lịch sử

／20

歴史の授業では、いろいろな**種類**の資料を使うんだね。

うん。そうやって、時代の**変化**を理**解**したり、外国と**比**べたりするんだよ。

"There sure are a lot of materials used in history class."
"Yeah. We use them to understand how Japan changed throughout each era and compare with other countries."

"Giờ học lịch sử dùng nhiều tài liệu nhỉ."
"Ừ, thế mới hiểu được sự thay đổi của thời đại hay so sánh với các nước khác."

1	歴	レキ	歴史（れきし）	history / lịch sử
			学歴（がくれき）	educational background / học vấn
14画	LỊCH		history	
2	種	たね / シュ	種（たね）	seed / hạt
			種類（しゅるい）	type, variety / loại, chủng loại
14画	CHỦNG		type, variety, seed	
3	類	ルイ	書類（しょるい）	documents / giấy tờ
			衣類（いるい）	clothing / quần áo
18画	ĐẠI		type, variety	
4	変	か-わる / か-える / ヘン	(～が)変わる（か）	to change / thay đổi
			(～を)変える（か）	to change / thay đổi
			変化(する)（へんか）	to change / thay đổi
			変(な)（へん）	strange / kì lạ
			大変(な)（たいへん）	very, serious / vất vả
9画	BIẾN		change, transform	
5	化	カ	化学（かがく）	chemistry / hóa học
			文化（ぶんか）	culture / văn hóa
			化粧(する)（けしょう）	to makeup, cosmetics / mỹ phẩm
			機械化(する)（きかいか）	mechanization / cơ giới hóa
			～化(する)（か）	change to ～ / ～ hóa
4画	HÓA		transformation, adaptation	
6	解	カイ	理解(する)（りかい）	to understand, to comprehend / lí giải, hiểu
			解決(する)（かいけつ）	to solve / giải quyết
13画	GIẢI		break apart, comprehend	
7	比	くら-べる / ヒ	比べる（くら）	to compare / so sánh
			比較(する)（ひかく）	to compare / so sánh
4画	TỈ		compare	
8	課	カ	課題（かだい）	topic, lesson, issue / bài, vấn đề
			第1課（だいいっか）→9-2	lesson 1 / bài số 1
			課長（かちょう）	section head / trưởng ban
15画	KHÓA		section	
9	形	かたち / ギョウ / ケイ	形（かたち）	shape, model / hình dạng
			人形（にんぎょう）	doll / búp bê
			三角形（さんかくけい／さんかっけい）	triangle / hình tam giác
			四角形（しかくけい／しかっけい）	square / hình tứ giác
7画	HÌNH		form	
10	答	こた-える / こた-え / トウ	解答(する)（かいとう）	to answer / trả lời
			正答（せいとう）	correct answer / trả lời đúng
12画	ĐÁP		answer	

ドリル A　正しい読みをえらんでください。　1点×5

❶ そろそろ冬の衣類を片付けなきゃ。　a. いるい　b. いふく

❷ あのビルは、おもしろい形をしている。　a. かたっち　b. かたち

❸ この種から、どんな花がさくの？　a. たね　b. ねた

❹ 答えは、解答用紙に書いてください。　a. かいとう　b. かんとう

❺ 日本の文化についてもっと知りたい。　a. もんか　b. ぶんか

ドリル B　正しい漢字をえらんでください。　1点×5

❶ この＿＿(か)題、明日までに出さないと。　a. 化　b. 科　c. 課

❷ DVD を見ながら、＿＿(れき)史について勉強した。　a. 暦　b. 歴　c. 昼

❸ このおかし、＿＿(へん)なにおいがする。　a. 変　b. 交　c. 容

❹ 農業の世界でも機械＿＿(か)が進んでいる。　a. 代　b. 北　c. 化

❺ この書＿＿(るい)をAさんに渡してください。　a. 数　b. 類　c. 難

ドリル C　正しいほうをえらんで、ぜんぶひらがなで＿＿に書いてください。　1点×10

れい　天気がいいから、（ⓐ公園　b. 道路）に行きましょう。　こうえん

❶ 友達へのおみやげに（a. 人形　b. 課長）を買った。　＿＿＿＿

❷ 彼女は仕事がよくできて、（a. 歴史　b. 学歴）が高そうだ。　＿＿＿＿

❸（a. 三角形　b. 比較）のテーブルは部屋の角に置けばいい。　＿＿＿＿

❹ 私には、彼が何を言いたいのか（a. 変化　b. 理解）できない。　＿＿＿＿

❺ ここを押すと、サイズや色も（a. 変わる　b. 変える）ことができるよ。　＿＿＿＿

近所の店（きんじょのみせ）

Local Shop／Cửa hàng gần nhà

ここのケーキを買（か）おうと思（おも）ったけど、まだ**準備**中（じゅんびちゅう）だね。

期間**限**定（きかんげんてい）、**数**量**限**定（すうりょうげんてい）で**販**売中（はんばいちゅう）か……。これ、きっとおいしいんだね。

"I was thinking of buying this cake, but it's not ready yet."
"There's only a limited amount on sale for a limited time… I bet it's delicious!"

"Tớ định mua bánh ở đây nhưng vẫn chưa mở cửa nhỉ."
"Họ đang trong thời gian bán hàng có giới hạn và giới hạn số lượng … cái này chắc chắn ngon lắm đây."

1 準	ジュン	準備(する) じゅんび	to prepare / chuẩn bị
13画 CHUẨN	corresponding		
2 備	そな-える ビ	(〜に)備える そな	to prepare / chuẩn bị, dự phòng
		設備 せつび	equipment, installation / thiết bị
12画 BỊ	preparation		
3 期	キ	期間 きかん	period of time / thời gian
		短期 たんき	short period of time / ngắn hạn
		学期 がっき	academic term / học kì
		時期 じき	season, period / thời kì
		期待(する) きたい	to anticipate, to look forward to / Mong đợi, kì vọng
12画 CƠ, KÌ	period of time		
4 限	かぎ-る ゲン	限る かぎ	to be limited/restricted / giới hạn
		限定(する) げんてい	to be limited / giới hạn
		制限(する) せいげん	to set a limit / giới hạn
9画 HẠN	limit		
5 数	かぞ-える かず スウ -ズウ	数える かぞ	to count / đếm
		数 すう	number, amount / số lượng, số
		数字 すうじ	number / con số
		数学 すうがく	mathematics / toán học
		数量 すうりょう	quantity / số lượng
		点数 てんすう	point / điểm số
		数か月 すうげつ	several months / vài tháng
		人数 にんずう	amount (of people) / số người
13画 SỐ	count, number		
6 販	ハン	販売(する) はんばい	to sell / bán hàng
		自動販売機 じどうはんばいき	vending machine / máy bán hàng tự động
11画 PHIẾN, PHÁN	sale		
7 値	ね チ	値段 ねだん	price / giá
		値上げ(する) ねあ	to raise the price / tăng giá
		値下げ(する) ねさ	to lower the price / hạ giá
		価値 かち →9-4	value, worth / giá trị
10画 TRỊ	price		
8 容	ヨウ	内容 ないよう	contents / nội dung
		容器 ようき	container / đồ đựng
		美容 びよう	beautiful form / việc làm đẹp
		美容院 びよういん →8-4	beauty salon / tiệm cắt tóc
		容易(な) ようい →9-2	easy, simple / đơn giản
10画 DUNG	contents		

ドリル A　正しい読みをえらんでください。　1点×5

❶ ここに本が何冊あるか、数えてください。　a. かずえて　b. かぞえて

❷ 品物が来るまでに数か月かかるそうだ。　a. すうかげつ　b. かずかげつ

❸ いいレポートを期待していますよ。　a きじ　b. きたい

❹ 来月から電気代が少し値下げになる。　a. ねさげ　b. ねあげ

❺ ランチタイムに限り、コーヒー100円です。　a. かぎり　b. はかり

ドリル B　正しい漢字をえらんでください。　1点×5

❶ 美＿＿院で、髪を切ってきます。（よう）　a. 用　b. 要　c. 容

❷ このワインは日本全国で＿＿売されている。（はん）　a. 反　b. 販　c. 取

❸ この本の＿＿段を教えてください。（ね）　a. 値　b. 価　c. 備

❹ この服は、ボタンの＿＿が多いね。（かず）　a. 数　b. 類　c. 期

❺ 明日の＿＿備は終わったの？（じゅん）　a. 準　b. 准　c. 順

ドリル C　正しいほうをえらんで、ぜんぶひらがなで＿＿に書いてください。　1点×10

れい　天気がいいから、（ⓐ公園　b. 道路）に行きましょう。　こうえん

❶ これは、冬（a. 限定　b. 準備）のメニューです。　＿＿＿＿

❷ その手紙の（a. 内容　b. 容器）は何だったの？　＿＿＿＿

❸ ここには（a. 数字　b. 数学）を書いてください。　＿＿＿＿

❹ 努力を続けてきたことに（a. 価値　b. 短期）がある。　＿＿＿＿

❺ 明日来る人の（a. 時期　b. 人数）を教えてください。　＿＿＿＿

UNIT 4

まとめ問題 A

問題1 ＿＿＿の言葉の読み方として最もよいものを１・２・３・４から一つ選びなさい。

（１点×７）

1 A社とB社を比べたグラフがこちらです。

1　くべた　　2　ひべた　　3　くらべた　　4　しらべた

2 熱いのが苦手だったら、ちょっと冷ましてから食べてくださいね。

1　ひまして　　2　さまして　　3　れいまして　　4　つめまして

3 宿題をやるのを忘れてしまった。

1　しくだい　　2　しゃくだい　　3　しょくだい　　4　しゅくだい

4 地震に備えて、水をたくさん買っておいた。

1　かぞえて　　2　びえて　　3　ひかえて　　4　そなえて

5 留学生に限って、料金を半額にさせていただきます。

1　かざって　　2　かぎって　　3　かじって　　4　かげって

6 この店は50種類のアイスクリームを販売しているそうだ。

1　たねるい　　2　しゃるい　　3　しょるい　　4　しゅるい

7 荷物を海外に安く送る方法を教えてあげるよ。

1　ほうぼう　　2　ほほう　　3　ほうほう　　4　ほっぽう

問題2 ＿＿＿の言葉の書き方として最もよいものを１・２・３・４から一つ選びなさい。

（１点×７）

1 この窓、ハートのかたちをしているね。

1　形　　2　方　　3　法　　4　型

2 風邪をひいたら、あたたかいスープを飲むようにしている。

1　暖かい　　2　暖い　　3　温かい　　4　温い

3 私のせんもんは化学です。

1　専問　　2　先門　　3　先問　　4　専門

4 これはいっぱんの人向けに書かれた本です。

1 一搬　2 一反　3 一班　4 一般

5 家族に言わないで会社をやめてしまうなんて、りかいできません。

1 理解　2 理科　3 理会　4 理介

6 先月、論文のために海外ちょうさに行きました。

1 長査　2 長作　3 調査　4 調作

7 こんなにかんたんに、タイ料理が作れるとは思わなかったよ。

1 容易　2 困難　3 優先　4 簡単

問題3　（　　）に入れるのに最もよいものを１・２・３・４から一つ選びなさい。　（１点×３）

1 大きな工場はほとんど機械（　　）されています。

1 的　2 化　3 作　4 課

2 買った野菜を冷蔵（　　）に入れてください。

1 故　2 港　3 所　4 庫

3 来週は教科書の第６（　　）を勉強します。

1 課　2 目　3 数　4 期

問題4　（　　）に入れるのに最もよいものを１・２・３・４から一つ選びなさい。　（１点×３）

1 会議の（　　）は机の上にお配りしました。

1 調子　2 設備　3 単位　4 資料

2 この雑誌、（　　）はいいのに、デザインが古いなあ。

1 内容　2 書類　3 容器　4 辞書

3 世界の切手を（　　）のが趣味です。

1 集合する　2 集まる　3 集める　4 集中する

まとめ問題 B

問題 つぎの文を読んで、しつもんに答えなさい。

リサの文章

マリオさんが住んでいる留学生会館には①暖房があって冬でも②暖かい。③冷蔵庫も洗たく機もついていて、私のマンションと同じくらい④設備がいい。

マリオさんは、⑤専門の⑥授業も日本語の勉強もがんばっているようだ。レポートを書くために、いろいろな⑦種類の⑧資料を⑨集めて⑩比べていると言っていた。説明してくれた⑪内容は⑫一般的で、⑬理解しやすかった。

留学生会館の⑭近所の店で⑮期間限定のケーキを買って二人で食べた。すごくおいしくて、びっくりした。

問1 ①～⑮の漢字をひらがなにして、＿＿をぜんぶひらがなで書きなさい。（1点×15）

①	②	③	④	⑤
⑥	⑦	⑧	⑨	⑩
⑪	⑫	⑬	⑭	⑮

問2 文章の内容と合う絵に〇、合わない絵に×をつけなさい。（1点×3）

Place a circle ◯ under the pictures that match the passage and an × under the pictures that do not.

Hãy đánh dấu ◯ vào tranh phù hợp, dấu × vào tranh không phù hợp với nội dung đoạn văn.

a

（　　）

b

（　　）

c

（　　）

UNIT 5 マリオの生活(せいかつ)(2)

Mario's Daily Life (2)

Cuộc sống của Mario (2)

1 野球(やきゅう)の練習(れんしゅう) Baseball Practice／Tập bóng chày

2 試合(しあい) The Big Match!／Thi đấu

3 交通事故(こうつうじこ) A Traffic Accident／Tai nạn giao thông

4 病院(びょういん)からの電話(でんわ) A Call from the Hospital／Điện thoại từ bệnh viện

5 優勝(ゆうしょう)した夢(ゆめ) A Dream about Winning／Mơ được vô địch

野球の練習
やきゅう れんしゅう

Baseball Practice／Tập bóng chày

／20

毎日野球の練習してるんだって？疲れないか？
（まいにち やきゅう れんしゅう / つか）

そんなことないよ。運動して汗をかくのは気持ちいいからね。
（うんどう あせ き も）

"You say you practice baseball everyday? Don't you get tired?"
"No, not at all. It feels nice to exercise and work up a sweat."

"Ngày nào cậu cũng tập bóng chày sao? Có mệt không?"
"Không. Vận động toát mồ hôi cũng sáng khoái lắm."

1	球	キュウ	野球（やきゅう）	baseball / bóng chày
			地球（ちきゅう）	Earth / địa cầu
			電球（でんきゅう）	lightbulb / bóng đèn
11画	CẦU			ball, sphere
2	練	レン	練習（する）（れんしゅう）	to practice / luyện tập
			訓練（する）（くんれん）	to train, to drill / huấn luyện
14画	LUYỆN			knead, train
3	疲	つか-れる ヒ	疲れる（つか）	to get tired / mệt
			疲れ（つか）	tiredness, fatigue / mệt mỏi
			疲労（ひろう）→9-1	fatigue, exhaustion / lao lực
10画	BÌ			exhaustion
4	運	はこ-ぶ ウン	運ぶ（はこ）	to carry, to transport / vận chuyển, bưng bê
			運動（する）（うんどう）	to exercise / vận động
			運転（する）（うんてん）→6-4	to drive / lái (xe)
12画	VẬN			carry, transport, luck
5	汗	あせ	汗（あせ）	sweat / mồ hôi
6画	HÃN			sweat
6	初	はじ-め ショ	初めて（はじ）	first time / lần đầu tiên
			初め（はじ）	beginning, start / lúc đầu
			最初（さいしょ）→6-3	at first, at the start / đầu tiên
			初級（しょきゅう）	beginner (level) / sơ cấp
7画	SƠ			first, beginning
7	技	ギ	技術（ぎじゅつ）	technology, technique / kĩ thuật
			技術者（ぎじゅつしゃ）	technician / kĩ sư
7画	KĨ			skill
8	術	ジュツ	手術（する）（しゅじゅつ）	to operate / phẫu thuật
			美術（びじゅつ）→8-4	aesthetics / mĩ thuật
			美術館（びじゅつかん）→8-4	museum / viện bảo tàng mĩ thuật
			芸術（げいじゅつ）→8-4	arts / nghệ thuật
11画	THUẬT			technique, art
9	始	はじ-まる はじ-める シ	（～が）始まる（はじ）	to begin, to start / bắt đầu
			（～を）始める（はじ）	to begin, to start / bắt đầu
			開始（する）（かいし）	to start, commence / bắt đầu, mở màn
8画	THỦY			commence
10	客	キャク	客（きゃく）	guest, customer / khách
			お客様（きゃくさま）→8-2	polite term for 客 / cách nói lịch sự của「客」
			乗客（じょうきゃく）	passenger / khách đi tàu, xe
			観客（かんきゃく）	tourist / người xem
9画	KHÁCH			guest, customer

ドリル A 正しい読みをえらんでください。 1点×5

❶ この荷物、となりの部屋に運んでください。 a. こんで b. はこんで

❷ お客様、コートはこちらでお預かりします。 a. おかくさま b. おきゃくさま

❸ ギターがうまくなるように、毎日練習している。 a. とうしゅう b. れんしゅう

❹ コーチからは、さまざまな技術を教わりました。 a. ぎじつ b. ぎじゅつ

❺ 疲労をとるには寝るのが一番いい。 a. ひろう b. かろう

ドリル B 正しい漢字をえらんでください。 1点×5

❶ 毎晩、テレビで野＿＿（きゅう）を見ている。 a. 求 b. 休 c. 球

❷ 最＿＿（しょ）は漢字がきらいだったが、今は好きだ。 a. 所 b. 初 c. 始

❸ けがをして、手＿＿（じゅつ）をした。 a. 術 b. 実 c. 技

❹ 車の＿＿（うん）転ができますか。 a. 運 b. 週 c. 道

❺ 5時間も勉強したので、とても＿＿（つか）れた。 a. 使 b. 疲 c. 痛

ドリル C 正しいほうをえらんで、ぜんぶひらがなで＿＿に書いてください。 1点×10

れい 天気がいいから、（ⓐ公園 b. 道路）に行きましょう。 こうえん

❶ 体のためには、（a. 運動 b. 技術）したほうがいい。 ＿＿＿＿

❷ 昨日、（a. 始めて b. 初めて）日本の正月料理を食べた。 ＿＿＿＿

❸（a. 芸術 b. 美術）館で絵を見るのが好きです。 ＿＿＿＿

❹（a. 地球 b. 電球）にはさまざまな生き物がいます。 ＿＿＿＿

❺ 10時から会議を、（a. 初め b. 始め）ます。 ＿＿＿＿

試合（しあい）

The Big Match!／Thi đấu

開会式（かいかいしき）、よかったよ。マリオの試合（しあい）はこれからだよね。勝（か）てそう？

もちろん。相手（あいて）は前回（ぜんかい）２位（い）のチームだけど、５対（たい）０で勝（か）つよ。

"The opening ceremony was nice. Your match is going to start now. Think you'll win?"
"Of course. The opposing team was ranked 2nd last tournament, but we'll beat them 5-0."

"Lễ khai mạc hay quá. Sắp tới trận đấu của Mario rồi. Thắng được không?"
"Tất nhiên. Đối thủ là đội á quân lần trước nhưng tớ sẽ thắng 5:0."

1 合 あ-う ゴウ	試合（しあい）	match / trận đấu
	(〜に) 合う（あ）	to match with / hợp (với 〜)
	話し合う（はなしあ）	to converse / nói chuyện, hội ý
	場合（ばあい）	occasion, occurance / trường hợp
	合格（ごうかく）(する) →8-5	to pass, to qualify / đỗ
	不合格（ふごうかく） →8-5	failure, disqualification / trượt
6画 HỢP	matching, fitting together	
2 式 シキ	開会式（かいかいしき）	opening ceremony / lễ khai mạc
	入学式（にゅうがくしき）	school entrance ceremony / lễ nhập học
	結婚式（けっこんしき） →9-5	wedding ceremony / lễ cưới
	形式（けいしき）	type, style, format / hình thức
6画 THỨC	style, format, ceremony	
3 勝 か-つ かっ ショウ	(〜に)勝つ（か）	to triumph over / thắng 〜
	勝手（かって）(な)	selfish, arbitrary / tự tiện
	優勝（ゆうしょう）(する) →5-5	to win / vô địch
12画 THẮNG	victory	
4 相 あい ソウ ショウ	相手（あいて）	opponent, partner, other party / đối phương, đối thủ
	相談（そうだん）(する) →8-5	to consult / bàn bạc, tư vấn
	首相（しゅしょう） →9-1	Prime Minister / thủ tướng
9画 TƯỚNG	partner, opponent	
5 位 イ	２位（い）	2nd place / đứng thứ 2
	位置（いち） →7-4	position, location / vị trí
7画 VỊ	rank, level	
6 対 タイ	１対（たい）３	1 versus 3 / tỉ số 1:3
	反対（はんたい） →9-3	opposing, opposite / phản đối
	絶対（ぜったい）(に)	definitely / tuyệt đối
7画 ĐỐI	against, opposing	
7 選 えら-ぶ セン	選ぶ（えら）	to select / chọn
	選手（せんしゅ）	athlete / vận động viên
	選挙（せんきょ）	election / bầu cử
15画 TUYỂN	select	
8 負 ま-ける フ ブ	(〜に)負ける（ま）	to lose to / thua 〜
	勝負（しょうぶ）	match, contest / thắng thua, quyết đấu
9画 PHỤ	failure, burden	
9 戦 たたか-う セン	(〜と)戦う（たたか）	to fight, to battle / chiến đấu với 〜
	戦い（たたか）	fight, battle / cuộc chiến
	アメリカ戦（せん）	match against America / trận đấu với Mĩ
	戦争（せんそう）	war / chiến tranh
	戦後（せんご）	after the war / sau chiến tranh
13画 CHIẾN	battle, war	

ドリル A　正しい読みをえらんでください。　1点×5

❶ この中から好きなカードを選んでください。　a. えらんで　b. はこんで

❷ 強いチームとはあまり戦いたくないなあ。　a. かたたい　b. たたかい

❸ 先月、日本の首相がアメリカを訪問した。　a. しゅそう　b. しゅしょう

❹ よくわからない場合は、すぐに聞いてくださいね。　a. ばわい　b. ばあい

❺ あの人には絶対に言わないでください。　a. ぜったい　b. ぜつたい

ドリル B　正しい漢字をえらんでください。　1点×5

❶ 子供のとき、野球＿＿手になりたかった。（せん）　a. 戦　b. 先　c. 選

❷ その服にはこのくつが＿＿うと思うよ。（あ）　a. 合　b. 会　c. 相

❸ リーさんはピアノコンクールで一＿＿になった。（い）　a. 対　b. 立　c. 位

❹ 入学＿＿にはスーツを着ていきます。（しき）　a. 右　b. 式　c. 武

❺ 世界大会で日本チームがはじめて優＿＿した。（しょう）　a. 生　b. 賞　c. 勝

ドリル C　正しいほうをえらんで、ぜんぶひらがなで＿＿に書いてください。　1点×10

れい　天気がいいから、（ⓐ公園　b. 道路）に行きましょう。　こうえん

❶ テーマを決めるまえに、先生に（a. 相談　b. 勝負）したほうがいい。　＿＿＿＿

❷ 大学に（a. 位置　b. 合格）できて、うれしいです。　＿＿＿＿

❸ この意見に（a. 絶対　b. 反対）の人は、手をあげてください。　＿＿＿＿

❹ あのチームには勝ったことも（a. 合った　b. 負けた）こともある。　＿＿＿＿

❺（a. 形式　b. 試合）は 11 時に始まります。　＿＿＿＿

交通事故（こうつうじこ）

A Traffic Accident／Tai nạn giao thông

／20

マリオの**友**人（ゆうじん）：大丈夫（だいじょうぶ）か！　今（いま）、**救**急車（きゅうきゅうしゃ）を**呼**（よ）んだから。**保**険**証**（ほけんしょう）は持（も）ってるか！

うん。かばんの中（なか）に。あ、いたたた…。

(Mario's Friend) "Are you OK? I just called an ambulance. Do you have your insurance card?"
"Yes, it's in my bag. Ow, ow, ow…"

(Bạn của Mario) "Cậu làm sao không? Tớ gọi xe cấp cứu ngay đây. Cậu có thẻ bảo hiểm chứ?"
"Ừ, ở trong cặp. Ui đau đau đau…"

1	友	とも / ユウ	友達（ともだち）	friend / bạn bè
			友人（ゆうじん）	formal term for 友達 / bạn bè (cách nói hơi cứng của「友達」)
			親友（しんゆう）	best friend, true friend / bạn thân
4画	HỮU		companion	
2	救	キュウ	救急車（きゅうきゅうしゃ）	ambulance / xe cấp cứu
			救出（きゅうしゅつ）(する)	to rescue / giải cứu
11画	CỨU		rescue	
3	呼	よ-ぶ / コ	呼ぶ（よぶ）	to call / gọi
			呼吸（こきゅう）(する) →7-3	to breathe / hô hấp, thở
8画	HẤP		call	
4	保	ホ	保存（ほぞん）(する) →9-4	to save, to preserve / giữ, bảo quản
			保証（ほしょう）(する)	to guarantee / bảo đảm
			保険（ほけん）	insurance / bảo hiểm
9画	BẢO		preserve	
5	証	ショウ	保険証（ほけんしょう）	insurance card / thẻ bảo hiểm
			証明書（しょうめいしょ）	certificate / thẻ chứng minh
12画	CHỨNG		evidence, proof	
6	消	き-える / け-す / ショウ	(〜が)消える（きえる）	to disappear, to vanish / biến mất
			(〜を)消す（けす）	to erase, to delete / xóa
			取り消す（とりけす）	to take back, to cancel / hủy, xóa
			消費（しょうひ）(する)	to consume / tiêu hao, sử dụng
			消費者（しょうひしゃ）	consumer / người tiêu dùng
10画	TIÊU		erase	
7	防	ふせ-ぐ / ボウ	防ぐ（ふせぐ）	to defend / phòng tránh, chống
			予防（よぼう）(する)	to prevent / dự phòng
			消防車（しょうぼうしゃ）	fire engine / xe cứu hỏa
7画	PHÒNG		defence	
8	駐	チュウ	駐車（ちゅうしゃ）(する)	to park / đỗ xe
			駐車場（ちゅうしゃじょう）	parking lot / bãi đỗ xe
15画	CHÚ		parking	
9	禁	キン	禁止（きんし）(する)	to forbid, to ban / cấm
13画	CẤM		forbid, ban	
10	欠	か-ける / ケツ / ケッ-	(〜が)欠ける（かける）	to lack / thiếu, mất
			欠席（けっせき）(する) cf. 出席（しゅっせき）(する) →1-2	to absent / vắng mặt
			欠勤（けっきん） →8-5	absent from work / nghỉ làm
			欠点（けってん）	flaw, defect / khuyết điểm
4画	KHIẾM		lack	

ドリル A　正しい読みをえらんでください。　1点×5

❶ 困ったことがあったら、いつでも呼んでください。　a. こんで　b. よんで

❷ 交通事故を防ぐためにはどうしたらよいだろうか。　a. ふせぐ　b. ぼうぐ

❸ 私にはおおぜいの友人がいる。　a. ともひと　b. ゆうじん

❹ この野菜は冷凍して保存するといいですよ。　a. ほそん　b. ほぞん

❺ 部屋から出るときは、電気を消してください。　a. きして　b. けして

ドリル B　正しい漢字をえらんでください。　1点×5

❶ コップが＿＿けてしまった。（か）　a. 飲　b. 次　c. 欠

❷ ここでたばこを吸うことは＿＿止されています。（きん）　a. 禁　b. 近　c. 金

❸ この＿＿車場は1時間200円で使えます。（ちゅう）　a. 中　b. 注　c. 駐

❹ 私にとって＿＿達は一番大切です。（とも）　a. 共　b. 反　c. 友

❺ 試験に受かった人に合格＿＿明書を郵送します。（しょう）　a. 証　b. 生　c. 勝

ドリル C　正しいほうをえらんで、ぜんぶひらがなで＿＿に書いてください。　1点×10

れい　天気がいいから、（ⓐ公園　b. 道路）に行きましょう。　こうえん

❶ 予約を（a. 消える　b. 取り消す）場合は、3日前までにお願いします。　＿＿＿＿

❷ 風邪を（a. 予防　b. 救出）するために、手をよく洗ってください。　＿＿＿＿

❸（a. 保険証　b. 消費）がないと、病院に払うお金が高くなる。　＿＿＿＿

❹ 火事かなあ。（a. 消防車　b. 駐車場）がたくさん止まってる。　＿＿＿＿

❺ 明日は病院に行くので、授業を（a. 出席　b. 欠席）します。　＿＿＿＿

UNIT 5
4

病院からの電話

びょういん　でんわ

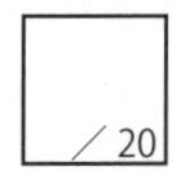

A Call from the Hospital／Điện thoại từ bệnh viện

えっ？ 交通事故(こうつうじこ)で足(あし)の**骨**(ほね)を**折**(お)ったって？ 大丈夫(だいじょうぶ)？

うん。でも、すぐ**治**(なお)るよ。これから受**付**(うけつけ)で入院(にゅういん)の**申**(もう)し込(こ)みをしてくる。

"Huh? You broke your leg in a traffic accident? Are you OK?"
"Yeah, it'll heal soon. I'm going to check into the hospital at reception."

"Ủa? Nghe nói cậu bị tai nạn giao thông gãy chân phải không? Cậu ổn chứ?"
"Ừ, khỏi ngay ấy mà. Tớ chuẩn bị tới lễ tân xin nhập viện đây."

1 骨 ほね / コツ / コッ-		
	骨(ほね)	bone / xương
	骨折(こっせつ)(する)	to break a bone / gãy xương
10画 CỐT	bone	

2 折 お-れる / お-る / セツ		
	(～が)折(お)れる	to bend, to break / gãy
	(～を)折(お)る	to bend, to fold / bẻ
	折(お)り紙(がみ)	origami / gấp giấy
7画 CHIẾT	bend, fold, break	

3 治 なお-る / なお-す / ジ		
	(～が)治(なお)る	to heal, to get better / khỏi
	(～を)治(なお)す	to heal / chữa
	政治(せいじ) →9-3	government, politics / chính trị
8画 TRỊ	heal, gain control over	

4 付 つ-く / つ-ける		
	(～が)付(つ)く	to include, to come attached / kèm
	(～を)付(つ)ける	to attach, to add / kèm, đính kèm, thêm
	受付(うけつけ)	reception (desk) / lễ tân, đăng kí
5画 PHỤ	attach, affix	

5 申 もう-す		
	申(もう)す	humble version of 言う / cách nói khiêm nhường của「言う」
	申(もう)し込(こ)む	to apply / đăng kí
	申込書(もうしこみしょ)	application form / phiếu đăng kí
5画 THÂN	proclaim	

6 科 カ		
	外科(げか)	department of surgery / khoa ngoại
	内科(ないか)	internal medicine / khoa nội
	科目(かもく)	subject, curriculum / môn
	科学(かがく)	science / khoa học
	科学者(かがくしゃ)	scientist / nhà khoa học
	教科書(きょうかしょ)	textbook / sách giáo khoa
9画 KHOA	science, department	

7 鼻 はな / ビ		
	鼻(はな)	nose / mũi
	耳鼻科(じびか)	otolaryngology / khoa tai mũi
14画 TỴ	nose	

8 歯 は / -ば / シ		
	歯(は)	tooth / răng
	歯医者(はいしゃ)	dentist / nha sĩ
	虫歯(むしば)	cavity / răng sâu
	歯科(しか)	dentistry / nha khoa
12画 XỈ	teeth	

9 退 タイ		
	退院(たいいん)(する)	to be discharged / ra viện
	早退(そうたい)(する) →8-1 cf. 遅刻(ちこく)(する) →2-4	to leave early / về sớm
	引退(いんたい)(する)	to retire / rút lui, giải nghệ
9画 THOÁI	exit from	

ドリル A　正しい読みをえらんでください。　1点×5

❶ 風邪を早く治したかったので、薬を飲んだ。　a. だいし　b. なおし

❷ 事故にあって、足の骨を折ってしまった。　a. うって　b. おって

❸ 好きな科目は数学と英語です。　a. かもく　b. かめ

❹ 私の父は外科の医者で、毎日手術をしている。　a. げか　b. がいか

❺ 頭が痛いので、早退させてください。　a. そうたい　b. そうだい

ドリル B　正しい漢字をえらんでください。　1点×5

❶ ＿＿（はな）から息を大きく吸ってください。　a. 花　b. 鼻　c. 骨

❷ はじめまして。私、リンと＿＿（もう）します。　a. 早　b. 由　c. 申

❸ 政＿＿（じ）にはあまり興味がない人も多い。　a. 治　b. 地　c. 自

❹ 背中に何か＿＿（つ）いていますよ。　a. 村　b. 何　c. 付

❺ 大学の授業で使う教＿＿（か）書を買った。　a. 科　b. 化　c. 過

ドリル C　正しいほうをえらんで、ぜんぶひらがなで＿＿に書いてください。　1点×10

れい　天気がいいから、（ⓐ公園　b. 道路）に行きましょう。　こうえん

❶ 病院の（a. 受付　b. 引退）で保険証を出してください。　＿＿＿＿

❷ 試験を受けたい人は、明日までに（a. 折り紙　b. 申込書）を出してください。　＿＿＿＿

❸ 歯が痛いなあ。たぶん（a. 虫歯　b. 歯科）ができたんだろう。　＿＿＿＿

❹ 台風で庭の木が（a. 折れて　b. 付けて）しまった。　＿＿＿＿

❺ けがもよくなったので、そろそろ（a. 引退　b. 退院）できるだろう。　＿＿＿＿

優勝した夢

ゆうしょう　ゆめ

A Dream about Winning／Mơ được vô địch

／20

司会（しかい）：優勝（ゆうしょう）チームの皆（みな）さんをご紹介（しょうかい）します。マリオさん、今（いま）のお気持（きも）ちは？

みんなで協力（きょうりょく）した結果（けっか）、優勝（ゆうしょう）できて、とてもうれしいです。

(Host) "Let me introduce the winning team. Mario, how are you feeling?"
"Our victory is thanks to the help of everyone on the team. I'm so happy."

"Dẫn chương trình: Chúng tôi xin giới thiệu đội vô địch. Anh Mario, cảm xúc hiện tại của anh thế nào?"
"Nhờ sự hợp lực của mọi người nên chúng tôi đã vô địch, tôi rất vui."

No.	Kanji	Readings	Word (reading)	Meaning
1	優	やさ-しい ユウ	優しい（やさ）	kind, nice / hiền lành
			優勝（する）（ゆうしょう）	to win / vô địch
			優先席（ゆうせんせき）	priority seat / ghế ưu tiên
			女優（じょゆう）	actress / nữ diễn viên
17画	ƯU		nice, kind, superb	
2	司	シ	司会（しかい）	presiding, emceeing / chủ tọa
			上司（じょうし）	boss / cấp trên
5画	GIAI		control, manage	
3	皆	みな	皆（みな）	everyone, everybody / mọi người
			皆さん（みな）	polite term for 皆 / cách nói lịch sự của「皆」
9画	GIỚI		everyone	
4	紹	ショウ	紹介（する）（しょうかい）	to introduce / giới thiệu
			自己紹介（じこしょうかい）	self introduction / tự giới thiệu
11画	HIỆP, HỢP		introduce	
5	協	キョウ	協力（する）（きょうりょく）	to cooperate / công tác, hợp lực, liên kết
8画	CHÚC		cooperation	
6	祝	いわ-う シュク	祝う（いわ）	to celebrate / chúc, chúc mừng
			祝日（しゅくじつ）	(national) holiday / ngày lễ
9画	TI		felicitations	
7	記	キ	記事（きじ）	article / bài báo
			記者（きしゃ）	reporter / phóng viên
			記入（する）（きにゅう）	to write in, to fill out / ghi vào
			記号（きごう）	symbol / kí hiệu
			日記（にっき）	diary / nhật kí
			暗記（する）（あんき）	to memorize / học thuộc
10画	KÍ		write down	
8	録	ロク	記録（する）（きろく）	to record, to write down / ghi lại, lập kỉ lục
			録音（する）（ろくおん）	to record (audio) / ghi âm
			録画（する）（ろくが）	to record (video) / thu hình
			新記録（しんきろく）	a new record / kỉ lục mới
16画	LỤC		record, registration	
9	団	ダン	団体（だんたい）	group, team, organization / đội, đoàn, đoàn thể
			団地（だんち）	housing complex / khu chung cư, khu tập thể
			集団（しゅうだん）	group / tập thể
6画	ĐOÀN		group	
10	賞	ショウ	賞品（しょうひん）	prize, reward / phần thưởng
			賞金（しょうきん）	prize money / tiền thưởng
			ノーベル賞（しょう）	Nobel Prize / giải thưởng Nobel
15画	Thưởng		award, prize	

ドリル A　正しい読みをえらんでください。　1点×5

❶ 友達が、大学に合格したお祝いをしてくれた。　a. おいやい　b. おいわい

❷ 田中さんはとても優しくて親切な人です。　a. たのしくて　b. やさしくて

❸ 皆さん、こちらを見てください。　a. みなさん　b. みんなさん

❹ 練習した内容をノートに記録しています。　a. きりょく　b. きろく

❺ 楽なので、海外旅行は団体で行くことが多い。　a. だんたい　b. だったい

ドリル B　正しい漢字をえらんでください。　1点×5

❶ では、一人ずつ自己＿＿介してください。（しょう）　a. 招　b. 紹　c. 昭

❷ 大会で２位になって＿＿金をもらいました。（しょう）　a. 員　b. 賛　c. 賞

❸ 今日の会議の＿＿会は山中さんです。（し）　a. 司　b. 仕　c. 始

❹ 明日は＿＿日なので学校は休みです。（しゅく）　a. 休　b. 祝　c. 国

❺ 漢字を一日 10 個ずつ暗＿＿するようにしている。（き）　a. 気　b. 機　c. 記

ドリル C　正しいほうをえらんで、ぜんぶひらがなで＿＿に書いてください。　1点×10

れい　天気がいいから、（ⓐ公園　b. 道路）に行きましょう。　こうえん

❶ グループで（a. 協力　b. 集団）して、仕事を終わらせましょう。　＿＿＿＿

❷ この用紙に名前と住所を（a. 録画　b. 記入）してください。　＿＿＿＿

❸（a. 優勝した　b. 祝った）選手には金メダルが与えられます。　＿＿＿＿

❹ 地図にはいろいろな（a. 記号　b. 記事）が使われます。　＿＿＿＿

❺ 彼なら、世界（a. 賞　b. 新記録）を出すのも夢ではない。　＿＿＿＿

UNIT 5

まとめ問題 A

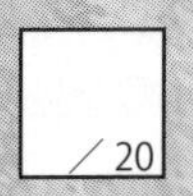

問題1 ＿＿＿の言葉の読み方として最もよいものを1・2・3・4から一つ選びなさい。

（1点×7）

1 朝、おなかが痛かったけど、すぐ治ってよかった。

1 おさまって　　2 なおって　　3 ちって　　4 ならって

2 どのケーキもおいしそうだから、一つだけ選ぶのは難しいなあ。

1 えらぶ　　2 せんぶ　　3 あそぶ　　4 ころぶ

3 毎日、日記を書いています。

1 にき　　2 ひき　　3 じっき　　4 にっき

4 足のけがは手術して、すっかりよくなりました。

1 しゅじゅつ　　2 しゅじつ　　3 しじゅつ　　4 しじつ

5 名札を胸に付けてください。

1 ふけて　　2 つけて　　3 とけて　　4 ちけて

6 まもなく入場を開始します。

1 かいじ　　2 かいし　　3 かいじょう　　4 かいしょう

7 この本は最初から最後までおもしろかったです。

1 さいしょう　　2 さいじょ　　3 さいしょ　　4 さいじょう

問題2 ＿＿＿の言葉の書き方として最もよいものを1・2・3・4から一つ選びなさい。

（1点×7）

1 友達が誕生日をいわってくれて、うれしかった。

1 祝わって　　2 位わって　　3 位って　　4 祝って

2 彼女は私の子供のころからのしんゆうです。

1 新友　　2 心友　　3 真友　　4 親友

3 もっとみんなで話しあったほうがいいよ。

1 会った　　2 合った　　3 明った　　4 上った

4 山中さんをしょうかいさせていただきます。

1 招介　　2 紹介　　3 沼介　　4 昭介

5 この新聞のきじは、わかりやすかったです。

1 紀地　　2 紀事　　3 記事　　4 記地

6 結婚するなら、やさしい人がいいなあ。

1 易しい　　2 易い　　3 優しい　　4 優い

7 今日の試合のあいては東西大学だ。
きょう　しあい　　　　　とうざいだいがく

1 会手　　2 合手　　3 相手　　4 愛手

問題3　（　　）に入れるのに最もよいものを1・2・3・4から一つ選びなさい。　（1点×3）
もんだい　　　　　い　　　　　もっと　　　　　　　　　　　　　　　　ひと　えら

1 耳が痛かったので、近くの病院の耳鼻（　　）に行った。
みみ　いた　　　　　　　　ちか　　びょういん　じび　　　　　い

1 医　　2 科　　3 課　　4 部

2 この駅を使っている乗（　　）の数は日本で一番多いそうだ。
えき　つか　　　　　　じょう　　　　　かず　にほん　いちばんおお

1 人　　2 電　　3 者　　4 客

3 今日はアメリカ（　　）中国の試合が行われた。
きょう　　　　　　　　　　ちゅうごく　しあい　おこな

1 対　　2 位　　3 戦　　4 相

問題4　（　　）に入れるのに最もよいものを1・2・3・4から一つ選びなさい。　（1点×3）
もんだい　　　　　い　　　　　もっと　　　　　　　　　　　　　　　　ひと　えら

1 試験に（　　）するためには、毎日勉強しなきゃ。
しけん　　　　　　　　　　　　　まいにちべんきょう

1 合格　　2 優勝　　3 協力　　4 記録

2 すみません。注文を（　　）たいんですけど。

1 取り消し　　2 消え　　3 防ぎ　　4 折れ

3 ここは駐車（　　）ですよ。

1 場合　　2 反対　　3 禁止　　4 予防

まとめ問題 B

問題 つぎの文を読んで、しつもんに答えなさい。

マリオの文章

①野球は楽しい。やっと②試合に出る③選手に④選ばれて喜んでいたら、⑤練習から帰るとき、バイクとぶつかってしまい、⑥救急車で病院に⑦運ばれた。足を⑧骨折して、⑨初めて⑩入院した。入院中、けがが⑪治るまで、どうやってチームに⑫協力できるか考えていた。それで、⑬退院してからは練習の⑭記録をつける係をしている。きのう、チームが大会で⑮優勝した夢を見た。本当にそうなるように、これからもがんばりたい。

問1 ①～⑮の漢字をひらがなにして、＿＿をぜんぶひらがなで書きなさい。（1点× 15）

①	②	③	④	⑤
⑥	⑦	⑧	⑨	⑩
⑪	⑫	⑬	⑭	⑮

問2 今のマリオはどれですか。正しい絵を一つえらびなさい。（5点）

Select the picture that shows Mario in his current condition.

Mario hiện tại là tranh nào? Hãy chọn một tranh đúng .

a

b

c

（　　　）

UNIT 6

気持ち・様子・動作

Feelings, Condition, Action

Tâm trạng, tình hình, hành động

1 気持ちを表す言葉（1） Expressing Feelings (1)／Từ thể hiện cảm xúc (1)

2 気持ちを表す言葉（2） Expressing Feelings (2)／Từ thể hiện cảm xúc (2)

3 様子を表す言葉 Explaining Your Condition／Từ chỉ trạng thái

4 動作を表す言葉（1） Action Words (1)／Từ chỉ động tác (1)

5 動作を表す言葉（2） Action Words (2)／Từ chỉ động tác (2)
自他動詞 Intransitive Verbs and Transitive Verbs／Tha, tự động từ

気持(きも)ちを表(あらわ)す言葉(ことば)(1)

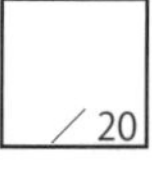
/20

Expressing Feelings (1)／Từ thể hiện cảm xúc (1)

〈友達(ともだち)の結婚式(けっこんしき)の後(あと)で〉

結婚式(けっこんしき)、よかったね。二人(ふたり)とも**幸**(しあわ)せいっぱいで、ご両親(りょうしん)もすごく**喜**(よろこ)んでたね。

うん。いつも**笑**顔(えがお)の彼女(かのじょ)の目(め)から**涙**(なみだ)が**流**(なが)れるのを見(み)て、私(わたし)も**泣**(な)いちゃった。

〈After a Friend's Wedding〉
"That was a nice wedding ceremony. The parents were so very happy to see those two so full of joy."
"Yeah. When I saw those tears streaming down the face of the bride, I cried, too."

〈Sau lễ kết hôn của bạn〉
"Lễ kết hôn vui quá. Cả hai bạn đều rất hạnh phúc, bố mẹ cũng rất mừng."
"Ừ, nhìn cô ấy thường ngày tươi tắn hôm nay lại khóc làm tớ cũng khóc luôn."

1	幸	しあわ-せ コウ	幸せ(しあわせ)(な)	happy, joyful hạnh phúc
			不幸(ふこう)(な)	unfortunate bất hạnh
			幸運(こううん)(な)	lucky, fortunate may mắn
8画	HẠNH		happiness	
2	喜	よろこ-ぶ	喜ぶ(よろこぶ)	to rejoice, to be happy vui mừng
			喜び(よろこび)	happiniess, joy niềm vui
12画	HỈ		joy, fortune	
3	笑	わら-う え-む	笑う(わらう)	to laugh, to smile cười
			笑い(わらい)	laugh, smile cười
			笑顔(えがお)★	smiling face nụ cười
10画	TIẾU		smile, laugh	
4	涙	なみだ	涙(なみだ)	tears nước mắt
10画	LỆ		tears	
5	流	なが-れる なが-す リュウ	(〜が)流れる(ながれる)	to flow chảy, trôi
			(〜を)流す(ながす)	to let flow rửa trôi
			流れ(ながれ)	flow, course dòng chảy
			流行(りゅうこう)(する) →8-4	to be in style, to be popular thịnh hành
			一流(いちりゅう)	1st class, top class cao cấp, tài giỏi
10画	LƯU		flow	

6	泣	な-く	泣く(なく) cf. 鳴く(なく) →7-3	to cry khóc
8画	KHẤP		cry	
7	悲	かな-しむ かな-しい	悲しい(かなしい)	sad buồn
			悲しむ(かなしむ)	to be sad đau buồn
			悲しみ(かなしみ)	sadness nỗi buồn
12画	BI		sadness	
8	怒	おこ-る いか-り	怒る(おこる)	to be angry giận
			怒り(いかり)	anger, rage sự tức giận
9画	NỘ		anger	
9	苦	くる-しむ くる-しい にが-い ク	苦しむ(くるしむ)	to suffer khổ, khó khăn
			苦しい(くるしい)	painful, difficult, tough khó khăn
			苦い(にがい)	bitter đắng
			苦労(くろう)(する) →9-1	to struggle vất vả
			苦痛(くつう)	agony đau khổ
			苦情(くじょう)	claim phàn nàn
			苦手(にがて)(な)	not good at/with kém, không quen, sợ
8画	KHỔ		suffering, bitterness	

ドリル A　正しい読みをえらんでください。　1点×5

❶ きれいな川が流れていますね。　a. なれて　b. ながれて

❷ 皆、幸せな人生を送りたいと思っている。　a. しやわせな　b. しあわせな

❸ あの人の笑顔はすてきですね。　a. わらがお　b. えがお

❹ 会社に遅刻して上司に怒られてしまった。　a. おこられて　b. しかられて

❺ このコーヒー、ちょっと苦すぎるね。　a. くるしすぎる　b. にがすぎる

ドリル B　正しい漢字をえらんでください。　1点×5

❶ リさんが帰国して、家族はとても＿＿＿(よろこ)んだそうだ。　a. 楽　b. 喜　c. 幸

❷ そんな顔しないで、＿＿＿(わら)ったほうがかわいいよ。　a. 笑　b. 喜　c. 洗

❸ 飼っていた猫が死んでしまって、とても＿＿＿(かな)しかった。　a. 罪　b. 悲　c. 非

❹ 彼は、とても＿＿＿(こう)運な人だと思う。　a. 幸　b. 辛　c. 千

❺ 入学試験に不合格になって、＿＿＿(な)いてしまった。　a. 鳴　b. 無　c. 泣

ドリル C　正しいほうをえらんで、ぜんぶひらがなで＿＿＿に書いてください。　1点×10

れい 天気がいいから、（ⓐ公園　b. 道路）に行きましょう。　こうえん

❶ 音楽の音がうるさいと（a. 苦労　b. 苦情）を言われてしまった。　＿＿＿＿

❷ 事故で子供が死んだというニュースを聞いて、皆（a. 悲しんだ　b. 流した）。　＿＿＿＿

❸ 絵をかくのは、ちょっと（a. 不幸な　b. 苦手な）んです。　＿＿＿＿

❹ こういう靴が今（a. 流行して　b. 流れて）いるんですよ。　＿＿＿＿

❺ ごみが目に入って、（a. 苦痛　b. 涙）が出た。　＿＿＿＿

気持(きも)ちを表(あらわ)す言葉(ことば)（2）

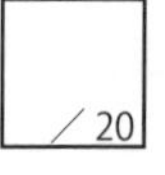

Expressing Feelings (2)／Từ thể hiện cảm xúc (2)

忘年会(ぼうねんかい)、鈴木(すずき)さんは**忙**(いそが)しくて来(こ)られないのかあ。**残念**(ざんねん)だね。

うん。借(か)りてた本(ほん)を返(かえ)そうと思(おも)ってたのにな。お**礼**(れい)も言(い)いたかったし。

"Suzuki is busy and can't come to the end of the year party. That's too bad."
"Yeah. I thought I'd be able to return his book that I borrowed. I also wanted to thank him."

"Tiệc cuối năm anh Suzuki không đến được à. Tiếc quá nhỉ."
"Ừ, tớ đang định trả luôn quyển sách đã mượn. Và cũng muốn cám ơn anh ấy."

1 忘 わす-れる ボウ		
	忘(わす)れる	to forget quên
	忘(わす)れ物(もの)	lost/forgotten item đồ bỏ quên
	忘年会(ぼうねんかい)	year-end party tiệc cuối năm, tiệc tất niên
7画 VONG	forget	

2 忙 いそが-しい		
	忙(いそが)しい	busy bận bịu
6画 MANG	busy	

3 残 のこ-る のこ-す ザン		
	(～が)残(のこ)る	to remain để lại, còn thừa ～
	(～を)残(のこ)す	to leave để lại ～
	残(のこ)り	remains còn lại
	残業(ざんぎょう)(する)	to work overtime làm thêm giờ
10画 TÀN	remaining, leftover	

4 念 ネン		
	残念(ざんねん)(な)	regret, disappointment tiếc
	記念(きねん)	commemoration kỉ niệm
8画 NIỆM	desire, intent	

5 礼 レイ		
	お礼(れい)	thanks, gratitude cám ơn
	礼(れい)	manners lễ nghi
	失礼(しつれい)(な)	rude thất lễ
	失礼(しつれい)(する)	pardon me for -ing Tôi xin phép
5画 LỄ	appreciation	

6 慣 な-れる カン		
	(～に)慣(な)れる	to get used to, to grow accustomed to quen ～
	習慣(しゅうかん)	custom thói quen
14画 QUÁN	acclimation	

7 亡 な-くなる ボウ		
	(～が)亡(な)くなる	Polite term for 死ぬ cách nói lịch sự của「死ぬ」
	死亡(しぼう)(する)	to die tử vong, chết
3画 VONG	loss, death	

8 伝 つた-わる つた-える デン		
	(～が)伝(つた)わる	to be conveyed, to get across truyền tải, truyền đạt
	(～を)伝(つた)える	to convey, to get across truyền tải, truyền đạt
	伝言(でんごん)	message, transmission lời nhắn
	手伝(てつだ)う★	to help, to assist giúp đỡ
6画 TRUYỀN	transmit, impart	

9 感 カン		
	感(かん)じる	to feel cảm thấy
	感(かん)じ	feeling cảm giác
	感想(かんそう) →9-5	reaction, impression cảm tưởng
	感情(かんじょう)	emotion cảm tính
	感動(かんどう)(する)	to be moved cảm động
	感心(かんしん)(する)	to be impressed cảm kích
	感覚(かんかく)	sense, feeling cảm giác
13画 CẢM	feeling, emotion	

ドリル A　正しい読みをえらんでください。　1点×5

❶ ちょっとこの仕事、手伝ってくれませんか。　a. てつだって　b. てつたって

❷ 今日、テストがあることをすっかり忘れていた。　a. われて　b. わすれて

❸ 国によって習慣が違う。　a. しゅうがん　b. しゅうかん

❹ 体の具合が悪いときは、寒さを感じやすい。　a. かんじ　b. げんじ

❺ 昨日、有名な作家が亡くなったそうだ。　a. なくなった　b. ねくなった

ドリル B　正しい漢字をえらんでください。　1点×5

❶ 毎日＿＿(いそが)しくて、テレビを見ることもできない。　a. 亡　b. 忙　c. 忘

❷ 日本の生活にもう＿＿(な)れましたか。　a. 成　b. 貫　c. 慣

❸ 親切にしてもらったお＿＿(れい)を言いたいです。　a. 札　b. 例　c. 礼

❹ 田中は今おりませんが、＿＿(でん)言をお伝えしましょうか。　a. 伝　b. 電　c. 云

❺ この本を読んで、＿＿(かん)想を書いてください。　a. 感　b. 慣　c. 館

ドリル C　正しいほうをえらんで、ぜんぶひらがなで＿＿に書いてください。　1点×10

れい　天気がいいから、（ⓐ 公園　b. 道路）に行きましょう。　こうえん

❶ そんなこと言ったら、彼にとても（a. 失礼　b. 感覚）だよ。　＿＿＿＿

❷ 京都旅行の（a. 残念　b. 記念）になるようなお土産を買いたいな。　＿＿＿＿

❸ 電車に（a. 忘れ物　b. 残業）をしてしまった。　＿＿＿＿

❹ 映画を見てこんなに（a. 感動　b. 感情）したのは初めてだ。　＿＿＿＿

❺ 後から二人来るから、少し料理を（a. 残して　b. 残って）おいて。　＿＿＿＿

様子(ようす)を表(あらわ)す言葉(ことば)

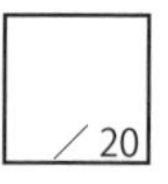

Explaining Your Condition／Từ chỉ trạng thái

ソースの味(あじ)は、あまり**濃**(こ)くしないでね。あ、パン、**厚**(あつ)すぎ！ もっと**薄**(うす)く切(き)ってくれる？

え～、そんなに**細**(こま)かく言(い)わないでよ。**適**当(てきとう)でいいんじゃない？

"Don't make the sauce too strong. Ah! The bread is too thick! Can you slice it thinner?"
"C'mon, don't be so specific. Can't we just wing it?"

"Lisa: Đừng làm mặn sốt quá nhé. À, bánh mì dày quá! Cắt mỏng hơn được không?"
"Ôi, đừng chi tiết thế chứ. Làm đại khái là được mà?"

1	濃	こ-い	濃(こ)い ⇔薄(うす)い	thick, strong (taste) / đặc
			濃(こ)さ	thickness / độ đặc
16画	NỒNG		thick (liquid), strong (taste)	
2	厚	あつ-い	厚(あつ)い ⇔薄(うす)い	thick (volume) / dày
			厚(あつ)さ	thickness / độ dày
			厚紙(あつがみ)	cardboard / giấy dày
9画	HẬU		thick, cordial	
3	薄	うす-い	薄(うす)い ⇔濃(こ)い、厚(あつ)い	thin / mỏng
16画	BẠC		thin, superficial	
4	細	ほそ-い こま-かい	細(ほそ)い ⇔太(ふと)い	narrow / thon, gầy
			細長(ほそなが)い	thin and narrow / thon dài
			細(こま)かい	fine, detailed / chi tiết, nhỏ nhặt
11画	TẾ		narrow	
5	適	テキ	適当(てきとう)(な) →8-5	suitable, appropriate, irresponsible / đúng
			適切(てきせつ)(な)	suitable, appropriate / chính xác, phù hợp
14画	ĐÍCH, THÍCH, TRÍCH		suitable, appropriate	
6	遠	とお-い エン	遠(とお)い ⇔近(ちか)い	far / xa
			遠足(えんそく)	excursion / dã ngoại
13画	VIỄN		far, distant	

7	若	わか-い	若(わか)い	young / trẻ
			若者(わかもの)	young person / thanh niên, người trẻ tuổi
8画	NHƯỢC		young	
8	静	しず-か	静(しず)か(な)	quiet, tranquil / im ắng, trật tự
14画	TĨNH		quiet, tranquil	
9	最	もっと-も サイ	最(もっと)も	utmost / nhất
			最近(さいきん)	recently / gần đây
			最初(さいしょ)	at first, at the start / đầu tiên
			最後(さいご)	last, end / cuối cùng
			最低(さいてい)	lowest, worst / thấp nhất
			最高(さいこう)	highest, best / cao nhất
12画	TỐI		most, superlative	
10	真	ま シン	真(ま)っ暗(くら)(な)	pitch black / tối om
			真上(まうえ)	right above / ngay phía trên
			真夜中(まよなか)	the middle of the night / nửa đêm
			写真(しゃしん)	photograph / ảnh
10画	TRÂN		actual, true	

ドリル A　正(ただ)しい読(よ)みをえらんでください。　1点×5

❶ そこの細い道(みち)に入(はい)ってください。　a. こまかい　b. ほそい

❷ どこか遠くに旅行(りょこう)したいな。　a. どおく　b. とおく

❸ ちょっとお化粧(けしょう)が濃いんじゃない？　a. こい　b. うすい

❹ これが、去年(きょねん)最も売(う)れた本(ほん)だそうです。　a. もとも　b. もっとも

❺ 厚く切(き)ったパンが好(す)きです。　a. うすく　b. あつく

ドリル B　正(ただ)しい漢字(かんじ)をえらんでください。　1点×5

❶ もう少(すこ)し＿＿(しず)かにしてください。　a. 晴　b. 争　c. 静

❷ 彼(かれ)は＿＿(わか)いのに、ずいぶんしっかりしているね。　a. 著　b. 若　c. 右

❸ いっしょに写(しゃ)＿＿(しん)をとりませんか。　a. 具　b. 例　c. 真

❹ この本(ほん)は＿＿(うす)いから、すぐ読(よ)めますよ。　a. 薄　b. 簿　c. 博

❺ この問題(もんだい)の＿＿(てき)切(せつ)な答(こた)えを記号(きごう)で書(か)いてください。　a. 敵　b. 的　c. 適

ドリル C　正(ただ)しいほうをえらんで、ぜんぶひらがなで＿＿に書(か)いてください。　1点×10

(れい) 天気(てんき)がいいから、（ⓐ公園　b. 道路）に行(い)きましょう。　こうえん

❶ たまねぎは（a. 細かく　b. 濃く）切(き)ってくださいね。　＿＿＿＿

❷ 昨日(きのう)のコンサートは（a. 最高に　b. 最低に）よかった。　＿＿＿＿

❸ あの先生(せんせい)と生徒(せいと)たち、電車(でんしゃ)に乗(の)って（a. 遠足　b. 真上）に行(い)くんだね。　＿＿＿＿

❹ まず（a. 最近　b. 最初）に映画(えいが)を見(み)て、それから買(か)い物(もの)をしました。　＿＿＿＿

❺ これに合(あ)う（a. 真っ白な　b. 適当な）ことばを下(した)から選(えら)んでください。　＿＿＿＿

動作を表す言葉（1）

どうさ　あらわ　ことば

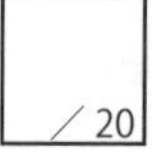

Action Words (1)／Từ chỉ động tác (1)

時間がかできたら、山にも**登**りたいし、水**泳**もしたいな。
（じかん／やま／のぼ／すいえい）

僕は早くけがを治して、思い切りボールを**投**げたりバットで**打**ったりしたい。
（ぼく／はや／なお／おも／き／な／う）

"f I have the time, I want to climb a mountain or go swimming."
"I want this injury to hurry up and heal so I can throw a ball and swing a bat again."

"Có thời gian tớ muốn leo núi hay bơi quá."
"Tớ muốn mau lành chỗ đau để được ném bóng hay đánh bóng."

1 登	のぼ-る / ト / トウ	登る（のぼ）	to climb / leo, trèo
		山登り（やまのぼ）	mountain climbing / leo núi
		登山（とざん）	mountain climbing / leo núi
		登録(する)（とうろく）	to register / đăng kí
12画 ĐĂNG		climb, ascend	

2 泳	およ-ぐ / エイ	泳ぐ（およ）	to swim / bơi
		水泳（すいえい）	swimming / bơi lội
8画 VỊNH		swim	

3 投	な-げる	投げる（な）	to throw / ném
7画 ĐẦU, ĐẨU		throw	

4 打	う-つ	打つ（う）	to hit, to strike / đánh
5画 ĐẢ		hit, strike	

5 着	き-る / つ-く / -ぎ / チャク	着る（き）	to wear / mặc
		(～に)着く（つ）	to arrive / đến ～
		着物（きもの）	clothing, kimono / kimono, quần áo
		上着（うわぎ）	outer wear / áo khoác
		下着（したぎ）	underwear / quần áo lót
		水着（みずぎ）	swimwear / quần áo bơi
		到着(する)（とうちゃく） cf. 出発(する)（しゅっぱつ） →2-1	to arrive / đến nơi
		東京着（とうきょうちゃく） ⇔～発（はつ）	arriving at Tokyo / đến Tokyo
		12時着（じちゃく） ⇔～発（はつ）	arriving at 12 o'clock / đến lúc 12h
12画 TRỮ, TRỨ		arrive, wear	

6 降	お-りる / ふ-る	降りる（お）	to descend, to disembark / xuống
		(～が)降る（ふ）	to fall / ～ rơi
10画 GIÁNG		descend, disembark	

7 迎	むか-える	迎える（むか）	to welcome / đón
		迎えに行く（むか／い）	to go and meet / đi đón
		迎え（むか）	greeting, welcome / đón
7画 NGHÊNH		go to meet, welcome	

8 転	ころ-ぶ / テン	転ぶ（ころ）	to tumble / ngã
		転校(する)（てんこう）	to transfer schools / chuyển trường
		転勤(する)（てんきん）→8-5	to transfer work / chuyển việc
		運転(する)（うんてん）	to drive / lái xe
		自転車（じてんしゃ）	bicycle / xe đạp
		回転(する)（かいてん）	to rotate / vận hành, quay vòng
11画 CHUYỂN		roll, fall	

ドリル A　正しい読みをえらんでください。　1点×5

❶ 午後から雨が降るそうです。　a. おりる　b. ふる

❷ スキーは下手なので、何度も転んでしまった。　a. ころんで　b. からんで

❸ 暑かったら、上着を脱いでもいいですよ。　a. うえぎ　b. うわぎ

❹ 富士山に登ってみたいです。　a. のって　b. のぼって

❺ 10時ごろそちらに着く予定です。　a. ちゃく　b. つく

ドリル B　正しい漢字をえらんでください。　1点×5

❶ 毎日プールで500メートルは＿＿いでいます。（およ）　a. 泳　b. 永　c. 洗

❷ 次の駅で＿＿りるよ。（お）　a. 折　b. 閉　c. 降

❸ 3時10分東京駅＿＿の電車に乗ってください。（ちゃく）　a. 到　b. 着　c. 直

❹ 車の運＿＿が上手ですねえ。（てん）　a. 転　b. 点　c. 店

❺ 頭を＿＿ってしまったので、病院に行った。（う）　a. 売　b. 折　c. 打

ドリル C　正しいほうをえらんで、ぜんぶひらがなで＿＿に書いてください。　1点×10

れい　天気がいいから、（ⓐ公園　b. 道路）に行きましょう。　こうえん

❶ 家族が日本に来るので、空港に（a. 迎えた　b. 迎えに行った）。　＿＿＿＿

❷ この飛行機はパリに6時に（a. 到着する　b. 着る）。　＿＿＿＿

❸ 私の趣味は（a. 登山　b. 登録）です。　＿＿＿＿

❹ スマホでも、写真の向きを（a. 回転　b. 投げ）させることができる。　＿＿＿＿

❺ 大阪支店に（a. 転勤　b. 転校）することになった。　＿＿＿＿

動作(どうさ)を表(あらわ)す言葉(ことば)(2) 自他動詞(じたどうし)

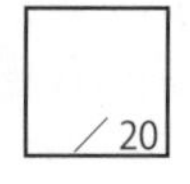

Action Words (2) Intransitive Verbs and Transitive Verbs／Từ chỉ động tác (2) Tha, tự động từ

へー、リサはずっと花(はな)を**育**(そだ)ててるんだ。**続**(つづ)けるの、大変(たいへん)じゃない？

水(みず)をやるだけだから。それに、花(はな)が**並**(なら)んでると気分(きぶん)いいでしょ。

"Wow, Lisa, you've been growing plants all this time? Aren't they it difficult to maintain?"
"Not really, you just need to give them water. And its pleasant to have a nice row of flowers."

"Ồ, Lisa vẫn cậu trồng câu đấy à? Duy trì được cũng khó khăn nhỉ?"
"không đâu, tớ chỉ tưới nước thôi. Có hoa cũng dễ chịu lắm."

1 育	そだ-つ そだ-てる イク	(～が)育(そだ)つ	to grow up ～ lớn lên
		(～を)育(そだ)てる	to raise nuôi ～
		教育(きょういく)	education giáo dục
		体育(たいいく)	physical education thể dục
8画	DỤC	raise, foster	

2 続	つづ-く つづ-ける	(～が)続(つづ)く	to continue ～ liên tục
		(～を)続(つづ)ける	to continue tiếp tục ～
13画	TỤC	continue	

3 並	なら-ぶ なら-べる	(～が)並(なら)ぶ	to be lined up ～ xếp hàng
		(～を)並(なら)べる	to line up sắp xếp ～
8画	TÍNH, BÍNH	line up	

4 助	たす-かる たす-ける ジョ	(～が)助(たす)かる	to be of help được cứu
		(～を)助(たす)ける	to help cứu ～
		助言(じょげん)(する)	to give advice cố vấn
		救助(きゅうじょ)(する)	to rescue cứu
7画	TRỢ	aid, help	

5 焼	や-ける や-く	(～が)焼(や)ける	to bake, to grill ～ nướng chín
		(～を)焼(や)く	to bake, to grill nướng ～
		焼(や)(き)肉(にく) / 焼肉(やきにく)	yakiniku thịt nướng
12画	THIÊU	cook, burn	

6 決	き-まる き-める ケツ ケッ-	(～が)決(き)まる	to be decided ～ đã quyết
		(～を)決(き)める	to decide, to determine quyết định ～
		解決(かいけつ)(する)	to solve giải quyết
		決(けっ)して～ない	Decidedly not ～ tuyệt đối ～ không
		決定(けってい)(する)	to decide, to determine quyết định ～
7画	QUYẾT	decide, determine	

7 混	ま-ざる ま-ぜる コン	(～が)混(ま)ざる	to be mixed ～ lẫn
		(～を)混(ま)ぜる	to mix trộn ～
		混雑(こんざつ)(する)	to cause crowding/ congestion đông đúc, lộn xộn
12画	HỖN	crowded, confusion	

8 落	お-ちる お-とす	(～が)落(お)ちる	to fall ～ rơi
		(～を)落(お)とす	to drop làm rơi ～
		落(お)とし物(もの)	dropped item đánh rơi đồ
12画	LẠC	fall, drop	

9 汚	よご-れる よご-す きたな-い	(～が)汚(よご)れる	to be dirty ～ bị bẩn
		(～を)汚(よご)す	to dirty to defile làm bẩn ～
		汚(よご)れ	dirt, filth vết bẩn
		汚(きたな)い	dirty, gross bẩn thỉu
6画	Ô	dirty, defile	

ドリル A　正しい読みをえらんでください。　1点×5

❶ 部屋が汚いので、掃除しよう。　a. よごい　b. きたない

❷ 窓の近くに人形を並べています。　a. ならべて　b. のべて

❸ 皆さんの親切は決して忘れません。　a. けつして　b. けっして

❹ 赤と白を混ぜると、ピンク色になる。　a. こんぜる　b. まぜる

❺ 先輩の助言が役に立ちました。　a. じょうげん　b. じょげん

ドリル B　正しい漢字をえらんでください。　1点×5

❶ 今日、代表チームの選手が＿＿定した。（けっ）　a. 決　b. 欠　c. 結

❷ 肉が＿＿けたから、食べよう。（や）　a. 焼　b. 煙　c. 燃

❸ 国にとって教＿＿はとても大切です。（いく）　a. 科　b. 生　c. 育

❹ さいふを＿＿としちゃったみたい。（お）　a. 客　b. 洛　c. 落

❺ この駅はいつも＿＿雑している。（こん）　a. 昆　b. 混　c. 比

ドリル C　正しいほうをえらんで、ぜんぶひらがなで＿＿に書いてください。　1点×10

れい　天気がいいから、（ⓐ公園　b. 道路）に行きましょう。　こうえん

❶ 私の母は子供を５人も（a. 育てた　b. 育った）。　＿＿＿＿

❷ お客さんが来るから、テーブルの上を（a. 汚れないで　b. 汚さないで）。　＿＿＿＿

❸ 雨の日が（a. 続けて　b. 続いて）いる。　＿＿＿＿

❹ さいふ、カバンの中にあった！　ああ、（a. 助かった　b. 助けた）。　＿＿＿＿

❺ 来年から中国に留学することが（a. 決めた　b. 決まった）。　＿＿＿＿
らいねん　ちゅうごく　りゅうがく

まとめ問題 A

問題 1 ＿＿＿の言葉の読み方として最もよいものを１・２・３・４から一つ選びなさい。

（１点×７）

1 この電車に乗ったら、午後１時頃に京都駅に着くはずです。

1　ちゃく　　2　きく　　3　つく　　4　かく

2 最も雨の日が多いのは、６月です。

1　もっとも　　2　もても　　3　もっても　　4　もとも

3 小学校の時の先生が亡くなったと母から聞いた。

1　よくなった　　2　なくなった
3　いそがしくなった　　4　ぼうくなった

4 これから駅まで迎えに行くね。

1　ひかえ　　2　げいえ　　3　むかえ　　4　あえ

5 真上の部屋から大きな音が聞こえてくる。

1　まっうえ　　2　しんじょう　　3　まじょう　　4　まうえ

6 洗濯したのに、全然汚れが取れていない。

1　きたなれ　　2　きだなれ　　3　よこれ　　4　よごれ

7 お年寄りが転ぶと、骨折することがよくある。

1　てんぶ　　2　ころぶ　　3　こんぶ　　4　こらぶ

問題 2 ＿＿＿の言葉の書き方として最もよいものを１・２・３・４から一つ選びなさい。

（１点×７）

1 コピーしたけど、色がうすいですね。

1　厚い　　2　薄い　　3　濃い　　4　細い

2 ここはずいぶんしずかなところですねえ。

1　静か　　2　晴れか　　3　浄か　　4　情か

3 木村さんは、くるしいときに助けてくれた友達です。

1 悲しい　2 悲い　3 苦い　4 苦しい

4 毎日いそがしく働いています。

1 忘がしく　2 忙しく　3 忘しく　4 忙がしく

5 その話を聞いて、とてもかんどうした。

1 間同　2 感同　3 間動　4 感動

6 子供が生まれたとき、人生で一番のよろこびを感じました。

1 幸び　2 幸こび　3 喜び　4 喜こび

7 新しい記念切手の発売がけっていしました。

1 結定　2 決停　3 結停　4 決定

問題3　（　　）に入れるのに最もよいものを１・２・３・４から一つ選びなさい。　（１点×３）

1 最（　　）では、スマホでゲームをする人が多いらしい。

1 近　2 初　3 高　4 後

2 このバス、ずいぶん（　　）雑しているね。

1 込　2 複　3 今　4 混

3 この電車は大阪に 12 時 20 分（　　）の予定です。

1 来　2 到　3 行　4 着

問題4　（　　　）に入れるのに最もよいものを１・２・３・４から一つ選びなさい。　（１点×３）

1 すみませんが、山田さんにこのことを（　　　）くれませんか。

1 落として　2 笑って　3 伝えて　4 手伝って

2 お国に帰っても、日本語の勉強を（　　　）くださいね。

1 続けて　2 並べて　3 並んで　4 続いて

3 料理を残したら、作ってくれた人に（　　　）よ。

1 残念だ　2 失礼だ　3 悲しい　4 怒る

まとめ問題 B

問題 つぎの文を読んで、しつもんに答えなさい。

リサの文章

①忘年会のメニューは②焼肉に③決めて、午前中にそうじをした。昼ごろ、みんなを駅まで④迎えに行って、スーパーで材料や飲み物を買った。みんな、お腹を空かせていたので、部屋に戻ったら、すぐに肉を⑤焼き始めた。マリオも料理を⑥手伝ってくれた。⑦薄く切った肉に野菜やきのこを⑧混ぜて焼いた。ちょっと味が⑨濃かったけど、⑩残さないで食べてくれた。食事の後は、座ぶとんを⑪並べて、⑫適当に座っておしゃべりした。⑬忙しかったけど、みんなも⑭喜んでくれて、よかった。⑮最高の一日だった。

問1 ①〜⑮の漢字をひらがなにして、＿＿をぜんぶひらがなで書きなさい。（1点× 15）

①	②	③	④	⑤
⑥	⑦	⑧	⑨	⑩
⑪	⑫	⑬	⑭	⑮

問2 上の文に合うように絵を並べます。どんな順番ですか。（5点）

Put the following pictures in the right order.

Sắp xếp tranh cho hợp với đoạn văn trên. Sẽ thành thứ tự như thế nào?

a

b

c

d

（　　）⇒（　　）⇒（　　）⇒（　　）

自然（しぜん）

Nature

Tự nhiên

1 天気（てんき） Weather／Thời tiết

2 植物（しょくぶつ） Plants／Thực vật

3 虫（むし）など Insects／Côn trùng

4 風景（ふうけい） Scenery／Phong cảnh

5 昔（むかし）と未来（みらい） Past and Futuret／Quá khứ và tương lai

UNIT 7
1

天気

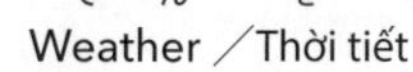

Weather ／Thời tiết

／20

天気予報(てんきよほう)によると、明日(あした)は晴(は)れるけど、風(かぜ)が強(つよ)いらしいよ。

そうなの？ 風(かぜ)、あんまり吹(ふ)いてほしくないなあ。さくらが散(ち)っちゃうよ。

"The weather forecast says tomorrow will be clear but with strong winds."
"Is that so? I don't really like a lot of wind blowing. It'll scatter the cherry blossoms."

"Theo dự báo thời tiết thì ngày mai nắng nhưng có vẻ gió to đấy."
"Thế hả? Tớ không muốn gió thổi chút nào. Hoa anh đào sẽ rụng hết mất."

1 然	ゼン	自然(しぜん)	nature / tự nhiên
		当然(とうぜん)	naturally, a given / đương nhiên
		全然(ぜんぜん)〜ない	Not 〜 at all / hoàn toàn không 〜
		偶然(ぐうぜん)	coincidence / ngẫu nhiên
12画	NHIÊN	emphasizes paired character	
2 報	ホウ	天気予報(てんきよほう)	weather forecast / dự báo thời tiết
		情報(じょうほう)	information / thông tin
		報告(ほうこく)(する) →8-3	to report / báo cáo, thông báo
		警報(けいほう) →8-3	warning, alert / cảnh báo
12画	BÁO	report, reward	
3 晴	は-れる は-れ セイ	晴(は)れる	to clear up, to become sunny / trời nắng
		晴(は)れ	sunny / nắng
		晴天(せいてん)	sunny skies, clear skies / thời tiết đẹp
12画	TÌNH	clear skies, sunny	
4 風	かぜ フウ	風(かぜ)	wind / gió
		風邪(かぜ)★	a cold / cảm lạnh
		風速(ふうそく)	wind speed / tốc độ gió
		台風(たいふう)	typhoon / bão
		強風(きょうふう)	strong winds / gió mạnh
		和風(わふう)	Japanese style / kiểu Nhật
9画	PHONG	wind	
5 吹	ふ-く	(〜が)吹(ふ)く	to blow / 〜 thổi
7画	XUY, XÚY	blow	
6 散	ち-る ち-らかす サン	(〜が)散(ち)る	to scatter, to fall apart / 〜 rụng
		散(ち)らかす	to scatter, to make a mess / làm bừa bãi
		散歩(さんぽ)(する)	to take a walk / tản bộ, đi dạo
12画	TẢN	scatter	
7 雪	ゆき	雪(ゆき)	snow / tuyết
		大雪(おおゆき)	heavy snow / bão tuyết
11画	TUYẾT	snow	
8 雲	くも	雲(くも)	cloud / mây
12画	VÂN	cloud	
9 波	なみ ハ -パ	波(なみ)	wave / sóng
		電波(でんぱ)	radiowave, reception, signal / sóng điện từ
8画	BA	wave	
10 海	うみ カイ	海外(かいがい)	overseas / hải ngoại, nước ngoài
9画	Hải	sea	
11 同	おな-じ ドウ	同時(どうじ)に	at the same time / đồng thời
		同量(どうりょう)	same amount / Cùng lượng
6画	ĐỒNG	same	

ドリル A 正しい読みをえらんでください。 1点×5

❶ 天気予報を確認しよう。
てんき　よほう　かくにん

a. よほう b. ようほ

❷ 和風の旅館に泊まりたい。
わふう　りょかん　と

a. わふ b. わふう

❸ 空に厚い雲があって、今日は寒い
そら　あつ　くも　　　きょう　さむ

a. くむ b. くも

❹ 東北地方は大雪になるかもしれない。 a. だいせつ b. おおゆき

❺ 北海道の美しい自然を楽しむことができた。 a. じぜん b. しぜん

ドリル B 正しい漢字をえらんでください。 1点×5

❶ 明日は＿＿れるらしい。（は） a. 晴 b. 昨 c. 晩

❷ 先生には敬語を使って当＿＿だ。
せんせい　けいご　つか　とう （ぜん） a. 然 b. 熱 c. 燃

❸ 冷たい風が＿＿いている。（ふ） a. 呼 b. 吹 c. 吸

❹ いい情＿＿があったら、教えてね。（ほう） a. 方 b. 報 c. 放

❺ ＿＿が高いから、海に出るのは危険だ。（なみ） たか　うみ　で　きけん

a. 波 b. 泳 c. 流

ドリル C 正しいほうをえらんで、ぜんぶひらがなで＿＿に書いてください。 1点×10

れい 天気がいいから、（ⓐ公園 b. 道路）に行きましょう。 こうえん

❶ 部屋を（a. 散ら b. 散らかさ）ないように気をつけてね。 ＿＿＿＿

❷ 彼が今どこにいるのか、（a. 全々 b. 全然）わからない。 ＿＿＿＿

❸（a. 台風 b. 風速）が近づいてきて、風が強くなっている。 ＿＿＿＿

❹ 問題が起きたことを社長に（a. 報告 b. 散歩）した。 ＿＿＿＿
もんだい　お　　　しゃちょう

❺ 青い空！ 今日は（a. 晴天 b. 電波）だね。 ＿＿＿＿

植物

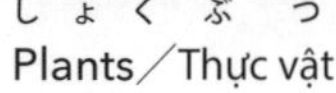
しょくぶつ

Plants／Thực vật

部屋（へや）に**緑**（みどり）がほしくて、植物（しょくぶつ）を買（か）ったんだ。

いいね。水（みず）は、なるべく**葉**（は）っぱにあてないで、**土**（つち）にあげてね。

"I wanted some green in my room, so I bought a plant."
"How nice. Don't pour water on the leaves, but instead pour into the soil."

"Tớ cũng muốn làm cho phòng xanh mát nên mua cây rồi đấy."
"Hay quá. Đừng tưới nước vào lá và vào đất ấy nhé."

1 植	う-える ショク	植える（う）	to plant, to grow trồng cây
		植物（しょくぶつ）	plant thực vật, cây
12画 THỰC		plant, grow	
2 緑	みどり	緑（みどり）	green, greenery cây, màu xanh
		緑色（みどりいろ）	green (color) màu xanh
14画 LỤC		green	
3 葉	は	葉（は）	leaf lá
		葉っぱ（は）	leaf lá cây
12画 DIỆP		leaf	
4 土	つち ト ド	土（つち）	earth, soil đất
		土地（とち） →7-3	land, local area đất đai
		土曜日（どようび）	Saturday thứ bảy
3画 THỔ		earth, soil	
5 草	くさ ソウ	草（くさ）	grass cỏ
		草原（そうげん）	grassy plain thảo nguyên
9画 THẢO		grass	
6 枝	えだ	枝（えだ）	branch cành cây
		枝分かれ（えだわ）	ramification chia nhánh
8画 CHI		branch	

7 根	ね	根（ね）	root rễ
		屋根（やね）	roof mái nhà
		根っこ（ね）	根 (conversational) cách nói dùng trong hội thoại của「根」
10画 CĂN		root	
8 農	ノウ	農業（のうぎょう）	agriculture, farming nông nghiệp
		農作業（のうさぎょう）	farmwork việc nhà nông
		農家（のうか）	farmer nông dân
13画 NÔNG		farming, agriculture	
9 紅	コウ	紅葉（こうよう）	autumn leaves lá đỏ
		紅茶（こうちゃ）	black tea hồng trà
9画 HỒNG		crimson	
10 黄	き	黄色（きいろ）	yellow (color) màu vàng
		黄色い（きいろ）	yellow (adj.) vàng
11画 HOÀNG		yellow	
11 裏	うら	裏（うら） ⇔表（おもて） →8-1	back, reverse phía sau
		裏返す（うらがえ）	to flip over, to turn over lật mặt sau
		裏面（うらめん）	reverse side mặt sau
		裏側（うらがわ）	the back, the inside đằng sau
		裏返しになる（うらがえ）	to become inside out / upside down lộn trái
13画 LÍ		back, reverse side	

ドリル A　正しい読みをえらんでください。　1点×5

❶ プリントの裏に、名前を書いてください。　a. うら　b. うしろ

❷ 屋根に雪がつもっている。　a. やね　b. おくじょう

❸ 農家の数が少なくなっているそうだ。　a. のうか　b. のうけ

❹ 今年は、紅葉がきれいだ。　a. こうよう　b. こうば

❺ 去年植えた花が、今年も咲いた。　a. はえた　b. うえた

ドリル B　正しい漢字をえらんでください。　1点×5

❶ この町は＿＿（みどり）が多くて住みやすい。　a. 縁　b. 緑　c. 練

❷ あの＿＿（き）色の花はきれいですね。　a. 黄　b. 青　c. 黒

❸ ここの＿＿（つち）は、赤い色に見える。　a. 士　b. 地　c. 土

❹ ＿＿（こう）茶を飲みましょう。　a. 赤　b. 黄　c. 紅

❺ 庭の木の＿＿（えだ）に鳥がとまっている。　a. 枝　b. 技　c. 支

ドリル C　正しいほうをえらんで、ぜんぶひらがなで＿＿に書いてください。　1点×10

れい　天気がいいから、（ⓐ公園　b. 道路）に行きましょう。　こうえん

❶ 田中さんは家族で（a. 農業　b. 草原）をしている。　＿＿＿＿

❷ この木、冬は（a. 根っこ　b. 葉っぱ）が落ちちゃうんだよ。　＿＿＿＿

❸ 夏は、庭に（a. 草　b. 土）がたくさん生えて、大変だ。　＿＿＿＿

❹ そのシャツ、（a. 枝分かれ　b. 裏返し）になっているよ。　＿＿＿＿

❺ 秋になると、一日中（a. 農作業　b. 植物）で忙しい。　＿＿＿＿

虫(むし)など

／20

Insects／Côn trùng

あ、**虫**(むし)が**鳴**(な)いてる。草(くさ)の中(なか)かな。**池**(いけ)の中(なか)にも何(なに)かいるね。

私(わたし)、虫(むし)は苦手(にがて)。特(とく)に、**毛**(け)がいっぱいある虫(むし)とか**血**(ち)を**吸**(す)う虫(むし)とか、だめ。

"Oh, some insects are chirping. Are they in the grass? Maybe there's some in the lake."
"I'm not good with bugs. Bugs with a lot of hair or ones that suck blood are especially bad."

"A, có tiếng côn trùng kêu. Trong cỏ thì phải? Trong ao hình như cũng có gì đó."
"Tớ sợ côn trùng lắm. Đặc biệt là côn trùng nhiều lông, côn trùng hút máu, tớ chịu."

1	虫	むし	虫(むし)	bug, insect / sâu, côn trùng
	6画 TRÙNG	bug, insect		
2	鳴	な-く, な-る	(～が)鳴(な)く	to crow / ～ kêu
			cf. 泣(な)く →6-1	
			(～が)鳴(な)る	to sound, to go off / ～ kêu, vang lên
	14画 MINH	animal cry		
3	池	いけ, チ	池(いけ)	pond, lake / ao
			電池(でんち)	battery / pin
	6画 TRÌ	pond		
4	毛	け, モウ	毛(け)	hair, fur / lông
			髪の毛(かみのけ)	hair (on the head) / tóc
			毛布(もうふ)	blanket / chăn lông
	4画 MAO	hair, fur		
5	血	ち, ケツ	血(ち)	blood / máu
			出血(しゅっけつ)(する)	to bleed / chảy máu
	6画 HUYẾT	blood		
6	吸	す-う, キュウ	吸(す)う	to sip, to suck / hút, hít
			呼吸(こきゅう)(する)	to breathe / hít thở
	6画 HẤP	suck		
7	命	いのち, メイ	命(いのち)	life / sinh mệnh, tính mạng
			生命(せいめい)	life / sinh mệnh
	8画 MỆNH	life, fate		
8	地	チ, ジ	土地(とち)	land, local area / đất đai
			観光地(かんこうち)	tourist spot / khu du lịch
			産地(さんち) →9-1	point of origin / nơi sản xuất
			地理(ちり)	geography / địa lí
			空き地(あきち)	empty lot / đất trống
			地方(ちほう)	region, locality / mặt đất
			地面(じめん)	ground, floor / mặt đất
			地味(じみ)(な)	plain / giản dị
			地震(じしん)	earthquake / động đất
	6画 ĐỊA	land, earth		
9	他	ほか, タ	他(ほか)	other, etc. / ngoài ra
			他(ほか)に	in addition, also / ngoài ra
			その他(た)	etc. / ngoài ra
			他人(たにん)	another person / người ngoài
	5画 THA	other, etc., misc.		
10	皿	さら, -ざら	皿(さら)	plate / đĩa
			灰皿(はいざら)	ashtray / gạt tàn
	5画 MÃNH, MẪN	plate		

ドリル A　正しい読みをえらんでください。　1点×5

❶ この皿は、友人の手作りだ。　a. ち　b. さら

❷ リモコンの電池が切れちゃった。　a. でんき　b. でんち

❸ 命の大切さについて考える。　a. めい　b. いのち

❹ 何か他に質問はありませんか。　a. ほか　b. た

❺ ここの空き地は、駐車場になるらしい。　a. あきじ　b. あきち

ドリル B　正しい漢字をえらんでください。　1点×5

❶ ＿＿で魚つりをした。(いけ)　a. 地　b. 池　c. 他

❷ 髪の＿＿が長くなっちゃった。(け)　a. 光　b. 手　c. 毛

❸ 指、どうしたの？　＿＿が出てるよ。(ち)　a. 値　b. 血　c. 地

❹ 夏の山には＿＿が多い。(むし)　a. 虫　b. 牛　c. 足

❺ 観光＿＿は、いつもにぎやかだ。(ち)　a. 地　b. 場　c. 記

ドリル C　正しいほうをえらんで、ぜんぶひらがなで＿＿に書いてください。　1点×10

れい　天気がいいから、（ⓐ公園　b. 道路）に行きましょう。　こうえん

❶ この色は、ちょっと（a. 地理　b. 地味）かなあ。　＿＿＿＿

❷ 寒くなったから、（a. 毛布　b. 他人）がほしいなあ。　＿＿＿＿

❸ そうじ機がごみを（a. 吸わ　b. 呼吸し）ない。こわれたかな。　＿＿＿＿

❹ 目覚まし時計が（a. 鳴って　b. 鳴いて）いますよ。　＿＿＿＿

❺ 猫の（a. 鳴き　b. 泣き）声がうるさくて眠れない。　＿＿＿＿

風景

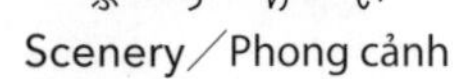

ふうけい

Scenery／Phong cảnh

／20

いい**景**色(けしき)だね。晴(は)れた空(そら)に、青(あお)い**湖**(みずうみ)。白(しろ)い**船**(ふね)。

この湖(みずうみ)は火山(かざん)がつくったんだって。ほら、めずらしい**石**(いし)や**岩**(いわ)もあるでしょ。

"What nice scenery. A clear sky, a blue lake, a white boat."
"They say this lake was formed by a volcano. Look, there are some rare rocks and boulders."

"Cảnh đẹp quá. Trời quang, hồ xanh. Thuyền trắng."
"Hồ này là do núi lửa tạo nên đấy. Kia kìa, có cả những hòn đá, ụ đá hiếm thấy đấy."

1	景	ケイ	風景(ふうけい)	scenery, landscape / phong cảnh
			景色★(けしき)	scenery, landscape / cảnh vật
12画	CẢNH			scenery, backdrop
2	湖	みずうみ / コ	湖(みずうみ)	lake / hồ
			バイカル湖(こ)	Lake Baikal / hồ Baican
12画	HỒ			lake
3	船	ふね / セン	船(ふね)	boat, ship / thuyền
			大型船(おおがたせん)	large ship / thuyền cỡ lớn
			小型船(こがたせん)	small ship / thuyền cỡ nhỏ
11画	THUYỀN			boat
4	石	いし / セキ / セッ-	石(いし)	rock, stone / đá
			石けん(せっけん)	soap / xà phòng
			石油(せきゆ)	oil / dầu mỏ
5画	THẠCH			rock
5	岩	いわ / ガン	岩(いわ)	stone, boulder / bờ đá
			岩石(がんせき)	stone, boulder / đá
8画	NHAM			rock, stone, boulder
6	馬	うま / バ	馬(うま)	horse / ngựa
			乗馬(する)(じょうば)	to mount a horse / cưỡi ngựa
10画	MÃ			horse
7	砂	すな / サ	砂(すな)	sand / cát
			砂糖(さとう)	sugar / đường
			砂漠(さばく)	desert / sa mạc
9画	SA			sand
8	島	しま / トウ	島(しま)	island / đảo
			島国(しまぐに)	island country/nation / quốc đảo
			ジャワ島(とう)	Java Island / đảo jawa
10画	ĐẢO			island
9	油	あぶら / ユ	油(あぶら)	oil / dầu, mỡ
			しょう油(ゆ)	soy sauce / xì dầu
8画	DU			oil
10	守	まも-る / まも-り	守る(まもる)	to protect, to obey (the rules) / bảo vệ
			お守り(おまもり)	(protective) charm / bảo bối, bùa
			留守★(るす)	away from home / đi vắng
6画	THỦ			protect
11	置	お-く / チ	置く(おく)	to put, to place / đặt
			置き場(おきば)	an item's place / chỗ đặt
			位置(いち)	location / vị trí
13画	TRÍ			put, place

ドリル A　正しい読みをえらんでください。　1点×5

❶ 石けんで手を洗ってください。　a. せけん　b. せっけん

❷ 自転車置き場は、どこでしょうか。　a. おきば　b. おきじょう

❸ 油を使った料理はカロリーが高い。　a. あぶら　b. ゆう

❹ 湖の上を白い鳥が飛んでいる。　a. みずみ　b. みずうみ

❺ 山の上から見る景色はすばらしかった。　a. けいしょく　b. けしき

ドリル B　正しい漢字をえらんでください。　1点×5

❶ 小型＿＿（せん）で、魚つりを楽しんだ。　a. 線　b. 船　c. 般

❷ ＿＿（せき）油の値段が上がるそうだ。　a. 右　b. 岩　c. 石

❸ 日本は海に囲まれた＿＿（しま）国です。　a. 鳥　b. 島　c. 馬

❹ 旅行の間、風＿＿（けい）の写真をたくさん撮った。　a. 京　b. 景　c. 直

❺ この島の自然を＿＿（まも）っていきたい。　a. 寸　b. 寺　c. 守

ドリル C　正しいほうをえらんで、ぜんぶひらがなで＿＿に書いてください。　1点×10

れい　天気がいいから、（ⓐ公園　b. 道路）に行きましょう。　こうえん

❶ このアプリは、バスの（a. 位置　b. 岩石）を教えてくれる。　＿＿＿＿

❷ くつの中に（a. 岩　b. 砂）が入って、気持ち悪い。　＿＿＿＿

❸（a. 船　b. 島）に乗ってのんびり世界旅行をしてみたい。　＿＿＿＿

❹ この動物園では（a. 砂糖　b. 乗馬）を楽しむこともできる。　＿＿＿＿

❺ 荷物は、つくえの上に（a. 置いて　b. 守って）ください。　＿＿＿＿

昔と未来

むかし　みらい

Past and Futuret／Quá khứ và tương lai

／20

100年後の**未来**も、お**米**からお**酒**を作ってるのかなあ。

それはそうでしょ。昔からずっとそうしてきたんだから。

"I wonder if 100 years in the future they'll still be making sake from rice."
"Sure they will. They've been doing it that way since long, long ago."

"Tương lai 100 năm nũa có còn làm rượu từ gạo không nhỉ?"
"Tất nhiên rồi. Từ ngày xa xưa đã như vậy rồi mà."

1 昔	むかし	昔（むかし）	long ago, in the past / ngày xưa
8画 TÍCH		long ago, distant past	
2 未	ミ	未来（みらい）	future / tương lai
		未成年（みせいねん）	minor, underage / vị thành niên
		未使用（みしよう）	unused / chưa sử dụng
		未定（みてい）	not set, to be determined / chưa chắc chắn
5画 VỊ		not yet, unfinished	
3 米	こめ / ベイ	米（こめ）	rice / gạo
		米国（べいこく）	United States of America / nước Mỹ
		南米（なんべい）	South America / Nam Mỹ
6画 MỄ		rice	
4 酒	さけ / さか / シュ	(お)酒（さけ）	alcohol, sake / rượu
		酒屋（さかや）	liquor store / quán nhậu
		日本酒（にほんしゅ）	Japanese sake / rượu Nhật
		飲酒運転（いんしゅうんてん）	drunk driving / say rượu lái xe
10画 TỬU		sake, alcohol	
5 乳	ニュウ	牛乳（ぎゅうにゅう）	(cow) milk / sữa bò
		乳製品（にゅうせいひん）→9-1	dairy products / sản phẩm từ sữa
8画 NHŨ		milk, breasts	
6 末	マツ	週末（しゅうまつ）	weekend / cuối tuần
		月末（げつまつ）	end of the month / cuối tháng
		年末（ねんまつ）	end of the year / cuối năm
5画 MẠT		end, terminal	
7 列	レツ	列（れつ）	row, column / hàng dọc, cột
		行列（ぎょうれつ）→8-4	line, queue / xếp hàng
		2列目（れつめ）	2nd row / hàng thứ 2
6画 LIỆT		row	
8 例	たと-えば / レイ	例えば（たと）	for example / ví dụ
		例（れい）	example / ví dụ
8画 LỆ		example	
9 生	い-きる / い-かす / は-える / なま / う-まれる / ショウ / ジョウ / セイ	(〜が)生きる（い）	to live / sống
		(〜を)生かす（い）	to utilize, to make use of / áp dụng 〜
		(〜が)生える（は）	to grow, to sprout / 〜 mọc
		生野菜（なまやさい）	fresh vegetables / rau sống
		一生（いっしょう）	a lifetime / cả đời
		誕生日（たんじょうび）	birthday / ngày sinh nhật
		生年月日（せいねんがっぴ）	date of birth / ngày tháng tuổi trẻ
5画 SINH		life, birth	

ドリル A　正しい読みをえらんでください。　1点×5

❶ 空き地には草がたくさん生えている。　a. うえて　b. はえて

❷ 次の世界大会は、南米で行われる。　a. みなべい　b. なんべい

❸ 近所の酒屋がコンビニになった。　a. さけや　b. さかや

❹ このご親切は、一生忘れません。　a. いっせい　b. いっしょう

❺ 生野菜のサラダが好きだ。　a. なまやさい　b. いきやさい

ドリル B　正しい漢字をえらんでください。　1点×5

❶ 農家から＿＿（こめ）を送ってもらった。　a. 米　b. 公　c. 光

❷ お＿＿（さけ）は、どのぐらい飲めますか。　a. 汗　b. 油　c. 酒

❸ ＿＿（むかし）、ここは海だった。　a. 直　b. 音　c. 昔

❹ 年＿＿（まつ）になると、道路が込む。　a. 未　b. 末　c. 東

❺ ＿＿（たと）えば、どんな場合ですか。　a. 例　b. 列　c. 側

ドリル C　正しいほうをえらんで、ぜんぶひらがなで＿＿に書いてください。　1点×10

れい　天気がいいから、（ⓐ公園　b. 道路）に行きましょう。　こうえん

❶（a. 未使用　b. 未来）の花火は、水を吸わせて捨てましょう。　＿＿＿＿

❷ 友だちが私の（a. 生年月日　b. 誕生日）を祝ってくれた。　＿＿＿＿

❸（a. 飲酒　b. 未定）運転は、絶対にしてはいけない。　＿＿＿＿

❹ ヨーグルトは（a. 牛乳　b. 行列）から作られる。　＿＿＿＿

❺ 店の前に、人が（a. 例　b. 列）を作って並んでいる。　＿＿＿＿

まとめ問題(もんだい) A

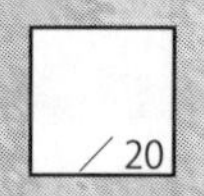

問題(もんだい)1　＿＿＿の言葉(ことば)の読(よ)み方(かた)として最(もっと)もよいものを１・２・３・４から一(ひと)つ選(えら)びなさい。

（１点(てん)×７）

1 庭(にわ)に花(はな)を植えようと思(おも)う。

1　ふえ　　2　はえ　　3　うえ　　4　かえ

2 あの青(あお)い屋根の家(いえ)が田中(たなか)さんの家(いえ)です。

1　おね　　2　やね　　3　おめ　　4　やめ

3 この写真集(しゃしんしゅう)で、いろんな植物が見(み)られるんだね。

1　しょくぶつ　　2　しょうぶつ　　3　おきもの　　4　しなもの

4 台風が近(ちか)づいてきている。

1　だいふう　　2　たいふう　　3　だいふ　　4　たいふ

5 秋(あき)になると、この辺(へん)は紅葉がきれいだよ。

1　こうよう　　2　こうよ　　3　こうは　　4　こうば

6 毎日(まいにち)、牛乳を飲(の)んでいます。

1　ぎゅにゅ　　2　ぎゅにゅう　　3　ぎゅうにゅ　　4　ぎゅうにゅう

7 日本(にほん)は島国です。

1　しまくに　　2　しまぐに　　3　とうこく　　4　とうごく

問題(もんだい)2　＿＿＿の言葉(ことば)の書(か)き方(かた)として最(もっと)もよいものを１・２・３・４から一(ひと)つ選(えら)びなさい。

（１点(てん)×７）

1 荷物(にもつ)は、どこにおいたらいいですか。

1　起いた　　2　押いた　　3　追いた　　4　置いた

2 たばこをすうのは体(からだ)によくない。

1　呼う　　2　吸う　　3　吹う　　4　味う

3 赤(あか)ちゃんの髪(かみ)の毛(け)がはえてきた。

1　生えて　　2　葉えて　　3　配えて　　4　反えて

4 ここはでんぱが弱くて、インターネットが使いにくい。

1 電皮　2 電波　3 電虫　4 電風

5 あ、チャイムがなった。だれだろう？

1 鳴った　2 名った　3 無った　4 泣った

6 このスーツ、じみだけど、とても着やすいんだよ。

1 自味　2 事味　3 地味　4 次味

7 せきゆを運ぶ船が事故を起こして、海が汚れてしまった。

1 石由　2 席由　3 石油　4 席油

問題3　（　　）に入れるのに最もよいものを1・2・3・4から一つ選びなさい。　（1点×3）

1 ここは有名な観光（　　）だから、外国人も多いね。

1 客　2 各　3 地　4 他

2 （　　）成年は、お酒を飲んではいけません。

1 未　2 末　3 非　4 不

3 たとえば、どんなこと？（　　）を出して説明してくれない？

1 列　2 例　3 礼　4 札

問題4　（　　）に入れるのに最もよいものを1・2・3・4から一つ選びなさい。　（1点×3）

1 運転するときは、交通ルールを（　　）なくちゃだめだよ。

1 使用し　2 報告し　3 生かさ　4 守ら

2 転んでぶつけて、鼻から（　　）が出た。

1 皿　2 血　3 土　4 汗

3 山の上から見た（　　）は、すごくきれいだった。

1 景色　2 週末　3 電池　4 地理

まとめ問題 B

問題 つぎの文を読んで、しつもんに答えなさい。

マリオの文章

①農業についての授業を受けてから、②自然について考えるようになった。部屋に③植物を置いて、④葉の⑤裏に⑥虫がついていないか、⑦土に水が足りているか、毎日チェックしている。⑧週末にはよく、⑨湖のそばで⑩昔からやっている店まで買い物に行く。ここで買うと、⑪土地の野菜はもちろん、卵や⑫牛乳など、いろいろな食べ物が⑬他の店より安くておいしい。⑭晴れた日に湖のまわりを⑮散歩すると、心も体も元気になる。

問 1 ①〜⑮の漢字をひらがなにして、＿＿をぜんぶひらがなで書きなさい。　（1 点× 15）

①	②	③	④	⑤
⑥	⑦	⑧	⑨	⑩
⑪	⑫	⑬	⑭	⑮

問 2 文章の内容と合う絵に〇、合わない絵に×をつけなさい。　（1 点× 3）

Place a circle ◯ under the pictures that match the passage and an × under the pictures that do not.

Hãy đánh dấu ◯ vào tranh phù hợp, dấu × vào tranh không phù hợp với nội dung đoạn văn.

a

（　　）

b

（　　）

c

（　　）

いろいろな体験（たいけん）

Life's Experiences

Trải nghiệm

1 病気（びょうき） Illness／Bệnh tật

2 お祭（まつ）り Festival Time!／Lễ hội

3 警察（けいさつ）で At the Police Station／Tại đồn cảnh sát

4 芸術（げいじゅつ） The Arts／Nghệ thuật

5 面接（めんせつ） Interview／Phỏng vấn

UNIT 8
1

病気
びょうき

Illness／Bệnh tật

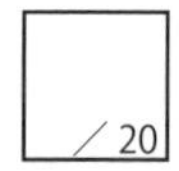

熱(ねつ)があるみたいで、昨日(きのう)から頭(あたま)が痛(いた)いの。朝(あさ)から食欲(しょくよく)もなくて。

大丈夫(だいじょうぶ)？ 早(はや)く帰(かえ)って、薬(くすり)を飲(の)んだほうがいいんじゃない？

"I seem to have a fever, I've had a headache since yesterday. I've also had no appetite since this morning."
"Are you alright? Shouldn't you go home early and take some medicine?"

"Hình như tớ bị sốt rồi nên từ hôm qua đau đầu quá. Từ sáng cũng không muốn ăn."
"Cậu ổn chứ? Cậu nên về sớm rồi uống thuốc đi."

1 熱	あつ-い ネツ ネッ-	熱い (あつ)	hot nóng
		熱 (ねつ)	heat, fever nhiệt độ, sốt
		熱心(な) (ねっしん)	passionate nhiệt tình
15画 NHIỆT		hot (to the touch), fever	
2 昨	サク	昨日★ (きのう／さくじつ)	yesterday hôm qua
		昨年 (さくねん)	last year năm ngoái
		昨夜 (さくや)	last night tối qua
9画 TẠC		yesterday, previous	
3 痛	いた-む いた-い ツウ	痛い (いた)	painful đau
		痛む (いた)	to hurt, to feel pain đau
		頭痛 (ずつう)	headache đau đầu
12画 THỐNG		pain	
4 欲	ほ-しい ヨク	欲しい (ほ)	wanted, desired muốn
		食欲 (しょくよく)	appetite muốn ăn
11画 DỤC		desire, want	
5 早	はや-い ソウ	早退(する) (そうたい) cf. 遅刻(ちこく)(する) →2-4	to leave early về sớm
		早朝 (そうちょう)	early morning sáng sớm
		早い (はや)	early sớm
6画 TẢO		early	
6 薬	くすり ヤク ヤッ-	薬 (くすり)	medicine thuốc
		頭痛薬 (ずつうやく)	headache medicine thuốc đau đầu
		薬品 (やくひん)	medicine, drugs dược phẩm
		薬局 (やっきょく)	pharmacy hiệu thuốc
16画 DƯỢC		medicine	
7 湯	ゆ	(お)湯 (ゆ)	hot water nước nóng
12画 THANG		hot water	
8 師	シ	医師 (いし)	doctor bác sĩ
		教師 (きょうし)	teacher giáo viên
10画 SƯ		master	
9 表	あらわ-れる あらわ-す おもて ヒョウ -ピョウ	(～が)表れる (あらわ)	to show, to display thấy～
		(～を)表す (あらわ)	to show, to display thể hiện～
		表 (ひょう／おもて) ⇔裏(うら) →7-2	chart, diagram, cahrt, front bảng, biểu
		表現(する) (ひょうげん)	to express biểu hiện
		表情 (ひょうじょう)	(facial) expression vẻ mặt, nét mặt
		時刻表 (じこくひょう)	timetable bảng giờ
		発表(する) (はっぴょう)	to present phát biểu
		代表(する) (だいひょう)	to represent thay mặt
8画 BIỂU		surface, chart	
10 息	いき	息 (いき)	breath hơi thở
		息子★ (むすこ)	son con trai
10画 Hơi thở		breath	

ドリル A　正しい読みをえらんでください。　1点×5

1. 昨日からパソコンの調子が悪い。　a. さくにち　b. きのう
2. 頭痛、少しはよくなりましたか。　a. ずつう　b. ずうつう
3. この近くに薬局がありますか。　a. やくきょく　b. やっきょく
4. 用事があるので、早退させてください。　a. そうたい　b. そたい
5. この表を見ると、箱のサイズと値段がわかる。　a. ひょう　b. ぴょう

ドリル B　正しい漢字をえらんでください。　1点×5

1. ＿＿（さく）年、Z市に引っ越しました。　a. 作　b. 酢　c. 昨
2. けがをした指が、まだ＿＿（いた）む。　a. 痛　b. 病　c. 疲
3. こっちが水で、こっちがお＿＿（ゆ）ね。　a. 陽　b. 揚　c. 湯
4. 食＿＿（よく）はありますか。　a. 次　b. 故　c. 欲
5. 痛みが続く場合は医＿＿（し）に相談してください。　a. 市　b. 師　c. 氏

ドリル C　正しいほうをえらんで、ぜんぶひらがなで＿＿に書いてください。　1点×10

れい　天気がいいから、（ⓐ公園　b. 道路）に行きましょう。　こうえん

1. あの先生は、とても（a. 息　b. 熱心）に教えてくださる。　＿＿＿＿
2. 体調が悪いなら、（a. 早く　b. 速く）寝たほうがいいよ。　＿＿＿＿
3. 彼は、日本の（a. 発表　b. 代表）チームの選手に選ばれた。　＿＿＿＿
4. お皿が（a. 暑い　b. 熱い）から、気をつけてね。　＿＿＿＿
5. この絵には、人々の怒りが（a. 表れて　b. 表して）いる。　＿＿＿＿

UNIT 8
2

お祭り(まつ)

Festival Time!／Lễ hội

／20

にぎやかだと思(おも)ったら、**神**社(じんじゃ)のお**祭**(まつ)りなんだね。

ほんとだ。お**参**(まい)りして、もう、けがをしないようにお**願**(ねが)いしよう。

"It's festival time at the shrine. I was wondering why it was so lively."
"It really is. Let's visit and pray I don't get injured again."

"Thấy ồn ào nhộn nhịp quá hóa ra là lễ hội ở đền."
"Ừ, đi lễ luôn đi để cầu mong sớm lành vết thương."

1 祭 まつ-り サイ		
	(お)祭り (まつ)	festival lễ hội
	文化祭 (ぶんかさい)	culture festival là sự kiện được tổ chức tại trường trung học cấp 2, cấp 3
	学園祭 (がくえんさい)	school festival là sự kiện được tổ chức tại trường đại học
11画 THẦN	festival	

2 神 かみ シン ジン		
	神様 (かみさま)	god, deity vị thần
	神社 (じんじゃ)	shrine điện thần
	神話 (しんわ)	mythology, myth thần thoại
9画 TẾ	deity	

3 参 まい-る サン		
	(〜に)参る (まい)	① Humble term for 行く(い) ② to pilgrimage 1. từ khiêm nhường của「行く」 2. Chỉ việc đến lễ bái tại chùa, điện thần
	(〜に)お参りする (まい)	to visit a temple/shrine lễ chùa
	(〜に)参加(する) (さんか)	to participate tham gia
	参加者 (さんかしゃ)	participant người tham gia
	参考書 (さんこうしょ)	reference materials sách tham khảo
8画 THAM	visit	

4 願 ねが-う ねが-い		
	願う (ねが)	to request, to wish mong ước
	お願い(する) (ねが)	to request, to beg mong muốn
19画 NGUYỆN	request, wish	

5 加 くわ-える カ		
	加える (くわ)	to add, to join thêm vào
	追加(する) (ついか)	to add thêm
	(〜が)増加(する) (ぞうか) →9-4	to increase tăng lên
5画 GIA	add	

6 性 セイ		
	性別 (せいべつ)	sex giới tính
	男性 (だんせい)	male nam giới
	女性 (じょせい)	female nữ giới
	性格 (せいかく) →8-5	personality, disposition tính cách
	可能性 (かのうせい)	possibility khả năng
	危険性 (きけんせい)	danger độ nguy hiểm
8画 TÍNH	characteristic, sex	

7 様 さま ヨウ		
	〜様 (さま)	Polite suffix for names cách gọi lịch sự
	お客様 (きゃくさま)	Polite term for 客 cách nói lịch sự của「客」
	様子 (ようす)	condition tình trạng
14画 DẠNG	condition	

8 寺 てら -でら ジ		
	(お)寺 (てら)	temple chùa
	●清水寺 (きよみずでら)	Kiyomizudera chùa Kyomizu
	●金閣寺 (きんかくじ)	Kinkakuji chùa Kinkaku
6画 TỰ	temple	

ドリル A　正しい読みをえらんでください。　1点×5

❶ 子どもの風邪は、よくなっている様子だ。　a. ようすう　b. ようす

❷ 注文を追加したいんですが。　a. ついか　b. おいくわ

❸ このお寺は、とても歴史が古いです。　a. てら　b. まつり

❹ 女性のくつ売り場はどこですか。　a. じょうせい　b. じょせい

❺ いい参考書を紹介してください。　a. さんこしょう　b. さんこうしょ

ドリル B　正しい漢字をえらんでください。　1点×5

❶ あなたの幸せを＿＿っています。（ねが）　a. 願　b. 顔　c. 額

❷ 薬の安全＿＿が確認された。（せい）　a. 生　b. 制　c. 性

❸ 次に砂糖を＿＿えて、混ぜます。（くわ）　a. 助　b. 加　c. 化

❹ 京都の金閣＿＿に行ってみたい。（じ）　a. 時　b. 寺　c. 事

❺ この週末は、町のお＿＿りだ。（まつ）　a. 禁　b. 祭　c. 際

ドリル C　正しいほうをえらんで、ぜんぶひらがなで＿＿に書いてください。　1点×10

れい 天気がいいから、（ⓐ公園　b. 道路）に行きましょう。　こうえん

❶ 明日のパーティーは（a. 可能性　b. 参加者）が多そうだ。　＿＿＿＿

❷ お世話になります。よろしく（a. お願い　b. お参り）します。　＿＿＿＿

❸ 今週は大学の（a. 神社　b. 学園祭）が行われる。　＿＿＿＿

❹（a. 神様　b. お客様）、どうか母の病気を治してください。　＿＿＿＿

❺ 次に砂糖を（a. 加えて　b. 願って）、混ぜてください。　＿＿＿＿

UNIT 8 いろいろな体験

警察で

けいさつ

At the Police Station／Tại đồn cảnh sát

／20

お祭(まつ)りで、さいふをとられたんです。

警察官(けいさつかん)：そうですか。では、この書類(しょるい)に名前(なまえ)と電話番号(でんわばんごう)、とられた物(もの)と場所(ばしょ)を書(か)いてください。

"My wallet was stolen at the festival."
(Officer) "Alright, please fill out this document and write your name, phone number, the item stolen and the location of the theft."

"Tôi đánh rơi ví ở lễ hội ạ."
(Cảnh sát) "Cô hãy viết tên, số điện thoại, đồ bị mất và địa chỉ vào giấy tờ này."

1	警	ケイ	警告(する) けいこく	to warn / cảnh cáo
			警報 けいほう	alarm, warning / cảnh báo
19画	CẢNH		admonish, warn	
2	察	サツ	警察 けいさつ	police / cảnh sát
			警察署 けいさつしょ	police station / nơi làm việc của cảnh sát vùng đó
			警察官 けいさつかん	police officer / người cảnh sát
			観察(する) かんさつ	to observe / quan sát
			診察(する) しんさつ	to examine / khám bệnh
14画	SÁT		surmise	
3	官	カン	警官 けいかん	police officer / sĩ quan
			面接官 めんせつかん →8-5	interviewer / người phỏng vấn
8画	QUAN		bureaucrat	
4	告	コク	報告(する) ほうこく	to report / báo cáo
			予告(する) よこく	to give advance notice / dự đoán
			広告 こうこく	advertisement / quảng cáo
7画	CÁO		announce, report	
5	枚	マイ	～枚 まい	*used to count thin objects / *Từ dùng khi đếm những thứ mỏng
			※薄(うす)いものを数(かぞ)えるときに使(つか)う言葉(ことば) →別冊	
			枚数 まいすう	number of (thin, flat objects) / số tờ
8画	MAI		flat object	
6	件	ケン	事件 じけん	event, case / vụ án
			条件 じょうけん	condition, requirement / điều kiện
			件名 けんめい	subject (of email) / tiêu đề của mail, tên để phân loại các mục
6画	KIỆN		issue	
7	具	グ	道具 どうぐ	tool / dụng cụ
			家具 かぐ	furniture / đồ nội thất
			文房具 ぶんぼうぐ	stationery / văn phòng phẩm
			器具 きぐ	utensil, apparatus / dụng cụ
			具合 ぐあい	condition, health / tình trạng
			具体的(な) ぐたいてき	specific, concrete / một cách cụ thể
8画	CỤ		tool, ingredient	
8	可	カ	可能(な) かのう →8-4	possible / khả năng
			不可能(な) ふかのう →8-4	impossible / không thể
			許可(する) きょか	to permit, to allow / cho phép
			ペット可 か	pets allowed / được nuôi vật nuôi
			ペット不可 ふか	no pets allowed / không được nuôi vật nuôi
5画	KHẢ		possible	

ドリルA 正しい読みをえらんでください。 1点×5

❶ 大雨警報が出た。気をつけなくちゃ。 a. けんほう b. けいほう

❷ 医者の診察を受けた方がいい。 a. しんさつ b. しんだん

❸ その事件は大きなニュースになった。 a. じけん b. じっけん

❹ 書類の枚数を数えてください。 a. まいすう b. もちかず

❺ バットなど、野球の道具を買いたい。 a. どぐう b. どうぐ

ドリルB 正しい漢字をえらんでください。 1点×5

❶ もっと＿＿(ぐ)体的に説明してください。 a. 県 b. 直 c. 具

❷ 兄は、警察＿＿(かん)をしています。 a. 宮 b. 営 c. 官

❸ 入場券を4＿＿(まい)買った。 a. 枚 b. 払 c. 代

❹ この＿＿(けん)名では、メールの内容がわからない。 a. 研 b. 件 c. 険

❺ 私のマンションは「ペット不＿＿(か)」なんです。 a. 化 b. 課 c. 可

ドリルC 正しいほうをえらんで、ぜんぶひらがなで＿＿に書いてください。 1点×10

れい 天気がいいから、（ⓐ 公園 b. 道路）に行きましょう。 こうえん

❶ ソファーなどの大きい（a. 家具 b. 器具）は、どこで買う？ ＿＿＿＿

❷ 新聞の（a. 広告 b. 警告）で、バーゲンの情報を知った。 ＿＿＿＿

❸ その後、けがの（a. 文房具 b. 具合）は、いかがですか。 ＿＿＿＿

❹ 交通事故を起こして、（a. 警察署 b. 観察）へ行った。 ＿＿＿＿

❺ 先生の（a. 許可 b. 可能）をもらって、授業中に外出した。 ＿＿＿＿

芸術(げいじゅつ)

The Arts／Nghệ thuật

あ、絵(え)をかいてるんだ。いいな、芸術(げいじゅつ)の才能(さいのう)があるんだね。

そんなことないよ。でも、絵(え)をかくのが好(す)きだから、高校(こうこう)の時(とき)は美術部(びじゅつぶ)に入(はい)ってた。

"Ah, drawing a picture, eh? Look great, you have real artistic talent."
"Actually, I heard there's a art exhibit at an event in the city, and I was thinking of displaying it there."

"A, cậu vẽ tranh đấy à. Giỏi quá, cậu có năng khiếu nghệ thuật đấy nhỉ."
"Thực ra có triển lãm mĩ thuật của thành phố nên tớ định mang tranh tham gia."

1 芸 ゲイ

芸	げい	the arts, trick / nghệ thuật
芸術	げいじゅつ	the arts / nghệ thuật
芸能人	げいのうじん	entertainer / người hoạt động nghệ thuật trên truyền hình hoặc sân khấu

7画 NGHỆ art

2 絵 カイ エ

絵	え	picture / tranh
絵本	えほん	picture book / sách tranh
絵画	かいが	painting / tranh (cách nói chỉ tranh nghệ thuật)

12画 HỘI picture, painting

3 才 サイ

才能	さいのう	talent / tài năng
天才	てんさい	genius / thiên tài
～才	さい	～ years old / ～ tuổi

※「～歳」とも書(か)く。「二十才（二十歳）」は、「にじゅっさい」とも「はたち」とも読(よ)む。 →別冊

3画 TÀI talent, age

4 能 ノウ

能力	のうりょく	ability / năng lực
可能(な)	かのう	possible / có thể
不可能(な)	ふかのう	impossible / không thể

10画 HÀNH ability

5 美 うつく-しい ビ

美しい	うつく	beautiful / đẹp
美術	びじゅつ	fine arts / mĩ thuật
美術館	びじゅつかん	museum / viện bảo tàng mĩ thuật
美人	びじん	beautiful lady / người đẹp
美容院	びよういん	beauty parlor / tiệm cắt tóc

9画 NĂNG beauty

6 行 い-く おこな-う ギョウ コウ

行う	おこな	to perform / thực hiện
行事	ぎょうじ	event, ceremony / sự kiện
行列	ぎょうれつ	line, queue / xếp hàng
1行目	ぎょうめ	first line / dòng thứ nhất
行動(する)	こうどう	to act / hành động
実行(する)	じっこう	to execute / thực hiện
流行(する)	りゅうこう	to be in style, to be popular / thịnh hành

6画 MỸ go, perform

7 必 かなら-ず ヒツ

必ず	かなら	definitely / chắc chắn
必要(な)	ひつよう	necessary / cần thiết

5画 TẤT inevitable

8 要 い-る ヨウ

(～が)要る	い	to be necessary / cần ～
重要(な)	じゅうよう	important / quan trọng

9画 YẾU require, need

ドリル A 正しい読みをえらんでください。 1点×5

① 海外旅行にはパスポートが要る。 a. よる b. いる
 かいがいりょこう

② 必ず連絡してください。 a. ひっず b. かならず
 ──れんらく

③ お祭りは、町の大きな行事の一つだ。 a. こうじ b. ぎょうじ
 まつ まち おお ひと

④ 昨日、市のマラソン大会が行われた。 a. おこなわ b. おこわ
 きのう し たいかい

⑤ ここから見える景色は特に美しい。 a. うつくしい b. うらやましい
 み けしき とく

ドリル B 正しい漢字をえらんでください。 1点×5

① 日本語＿＿力試験を受けた。 a. 農 b. 能 c. 濃
 にほんご のう りょくしけん う

② うちの犬はいろんな＿＿ができる。 a. 若 b. 笑 c. 芸
 いぬ げい

③ 妹は＿＿をかくのが上手だ。 a. 紙 b. 絵 c. 結
 いもうと え じょうず

④ 母は＿＿容院で働いている。 a. 美 b. 表 c. 芸
 はは び よういん はたら

⑤ どんなことにも練習が必＿＿だ。 a. 用 b. 様 c. 要
 れんしゅう ひつ よう

ドリル C 正しいほうをえらんで、ぜんぶひらがなで＿＿に書いてください。 1点×10
 か

れい 天気がいいから、（ⓐ公園 b. 道路 ）に行きましょう。 こうえん
 てんき い

① 風邪が（ a. 流行 b. 芸術 ）しているから、注意してください。 ＿＿＿＿＿
 かぜ ちゅうい

② モーツァルトは音楽の（ a. 天才 b. 美人 ）だ。 ＿＿＿＿＿
 おんがく

③ （ a. 絵画 b. 不可能 ）教室で、色について学んだ。 ＿＿＿＿＿
 きょうしつ いろ まな

④ ラーメン屋の前に（ a. 絵本 b. 行列 ）ができている。 ＿＿＿＿＿
 や まえ

⑤ 週末には（ a. 才能 b. 美術館 ）へ行くつもりだ。 ＿＿＿＿＿
 しゅうまつ い

面接

Interview／Phỏng vấn

／20

面接官：日本の本社社員になった場合、日本やあなたの国以外で働くこともあるかもしれませんが、大丈夫ですか。

はい。国際的な仕事をしたいので、勤務地はどこでもかまいません。

(Interviewer) "If you become an employee of the Japan HQ, you may need to work in Japan or another foreign country. Is that OK?
"Yes. I want to do international work, so I'm OK working anywhere."

(người phỏng vấn) "Cán bộ phỏng vấn: Nếu thành nhân viên công ty của Nhật, có thể cô sẽ phải làm việc ở nước ngoài ngoài Nhật Bản và đất nước của mình. Cô làm được chứ?"
"Vâng, tôi muốn làm công việc có tính quốc tế. Nơi làm việc ở đâu cũng được."

1 接 セツ	11画 TIẾP	contact, interact
面接（めんせつ）	interview	phỏng vấn
直接（ちょくせつ）	directly	trực tiếp

2 際 サイ	14画 TẾ	occasion
国際（こくさい）	international	quốc tế
国際的（な）（こくさいてき）	international, global, worldly	tính quốc tế
実際に（じっさい）	actually	thực tế
（～と）交際（する）（こうさい）	to interact, to be involved with	giao tiếp, tìm hiểu

3 勤 つと-める キン	12画 CẦN	diligence
勤める（つと）	to work, to endeavour	làm việc
通勤（する）（つうきん）	to commute	đi làm
勤務（する）（きんむ）	to work, to be diligent	làm việc
勤務地（きんむち）	place of work	nơi làm việc
転勤（する）（てんきん）	to transfer work	chuyển việc
出勤（する）（しゅっきん）	to leave for work	đi làm
欠勤（する）（けっきん）	to be absent from work	nghỉ làm

4 職 ショク	18画 CHỨC	occupation
職業（しょくぎょう）	work, occupation	nghề nghiệp
職場（しょくば）	workplace	nơi làm việc
職員（しょくいん）	employee, worker	nhân viên
就職（する）（しゅうしょく）	to search for work	đi làm
転職（する）（てんしょく）	to change one's job	chuyển việc, đổi việc

5 当 あ-たる あ-てる トウ	6画 DƯƠNG	hit the mark, win
（～が）当たる（あ）	to hit (the mark)	trúng ～
（～を）当てる（あ）	to hit (the mark)	nhắm ～
本当（ほんとう）	really, truly	thật
当然（とうぜん）	naturally, a given	đương nhiên
適当（な）（てきとう）	suitable, applicable, irresponsible	chính xác, hú họa
当社（とうしゃ）	our company (polite)	cách nói lịch sự của「私たちの会社」

6 談 ダン	15画 ĐÀM	consult, discuss
相談（する）（そうだん）	to consult	tư vấn
冗談（じょうだん）	joke	đùa

7 格 カク	10画 CÁCH	status
性格（せいかく）	personality, disposition	tính cách
価格（かかく） →9-4	price	giá cả
資格（しかく）	qualification	tư cách
（～に）合格（する）（ごうかく）	to pass, to qualify	đỗ, trúng tuyển

8 少 すく-ない すこ-し ショウ	4画 THIỂU	few, a little
少ない（すく）	few	ít
少し（すこ）	a little	ít
（～が）減少（する）（げんしょう） →9-4	to decrease, to reduce	giảm xuống

ドリル A 正しい読みをえらんでください。 1点×5

❶ 大学を卒業して、銀行に就職した。 a. しゅうしき b. しゅうしょく

❷ 私に直接連絡してください。 a. ちょっせつ b. ちょくせつ

❸ お祭りを実際に見てみたい。 a. じっさい b. じつさい

❹ 適当なこと言わないで。ちゃんと考えて。 a. てきとう b. てきあて

❺ 勤務時間は、9時から17時までです。 a. きんむ b. つとむ

ドリル B 正しい漢字をえらんでください。 1点×5

❶ 日本語能力試験に合＿＿（かく）したい。 a. 各 b. 格 c. 路

❷ 先生に相＿＿（だん）したいんですが。 a. 段 b. 団 c. 談

❸ 本＿＿（とう）にありがとうございました。 a. 当 b. 多 c. 等

❹ この歌手は国＿＿（さい）的に活躍している。 a. 際 b. 階 c. 限

❺ 石油会社に＿＿（つと）めています。 a. 勤 b. 務 c. 勝

ドリル C 正しいほうをえらんで、ぜんぶひらがなで＿＿に書いてください。 1点×10

れい 天気がいいから、（ⓐ公園 b. 道路）に行きましょう。 こうえん

❶「ご（a. 職業 b. 通勤）は？」「教師です。」 ＿＿＿＿

❷ 課長が、地方の支店へ（a. 転勤 b. 転職）するそうだ。 ＿＿＿＿

❸ パソコンの（a. 価格 b. 出勤）が安くなっている。 ＿＿＿＿

❹ 今の話は（a. 冗談 b. 国際）だよ。僕のうそ、信じちゃった？ ＿＿＿＿

❺ 招待券が（a. 当てた b. 当たった）。うれしい！ ＿＿＿＿

まとめ問題 A

／20

問題1　＿＿＿の言葉の読み方として最もよいものを1・2・3・4から一つ選びなさい。

（1点×7）

1 母は、自動車メーカーに勤めています。

1　あつめて　　2　おさめて　　3　つとめて　　4　みとめて

2 台風が来るらしいね。今、外の様子はどう？

1　ようす　　2　ようしゅ　　3　よす　　4　よしゅ

3 早朝のジョギングは、気持ちがいいよ。

1　はやあさ　　2　そうしょ　　3　そうしょう　　4　そうちょう

4 予約の人数を一人追加したいんですが、できますか。

1　ついか　　2　つうか　　3　おいか　　4　おうか

5 息子さんは、お元気ですか。

1　むこ　　2　まご　　3　おこ　　4　むすこ

6 昼から頭痛がする。

1　ずつ　　2　ずうつう　　3　ずつう　　4　ずうつ

7 この辺に薬局はありますか。

1　らっきょく　　2　らくきょく　　3　やくきょく　　4　やっきょく

問題2　＿＿＿の言葉の書き方として最もよいものを1・2・3・4から一つ選びなさい。

（1点×7）

1 コーヒーが飲みたいから、おゆをわかそう。

1　由　　2　油　　3　易　　4　湯

2 レントゲンをとります。はい、いきを吸って。

1　生き　　2　意気　　3　医気　　4　息

3 さくねん、子どもが生まれました。

1　作年　　2　昨年　　3　去年　　4　晩年

4 けいさつが、どろぼうをつかまえてくれた。

1 敬察　　2 敬際　　3 警察　　4 警際

5 遊園地で子どもがいなくなったじけん、解決したのかな。

1 事件　　2 実件　　3 事験　　4 実験

6 入学試験にごうかくできました。

1 合各　　2 合格　　3 号各　　4 号格

7 ねつがあるなら、ゆっくり休んだほうがいいよ。

1 然　　2 燃　　3 焼　　4 熱

問題3　（　　）に入れるのに最もよいものを１・２・３・４から一つ選びなさい。　（１点×３）

1 危険（　　）が高い実験は、子どもにさせないほうがいい。

1 的　　2 性　　3 感　　4 風

2 この紙を一人一（　　）ずつ取ってください。

1 件　　2 冊　　3 枚　　4 個

3 この仕事を１日で全部やるなんて、（　　）可能だよ。

1 非　　2 不　　3 反　　4 未

問題4　（　　）に入れるのに最もよいものを１・２・３・４から一つ選びなさい。　（１点×３）

1 海外旅行に行くなら、パスポートが（　　　）だ。

1 具体的　　2 国際的　　3 必要　　4 可能

2 夏休みにどんな勉強をしたらいいか、先生に（　　　）した。

1 相談　　2 参加　　3 検査　　4 広告

3 インフルエンザが（　　　）しているから、気をつけて。

1 実行　　2 行動　　3 流行　　4 行列

まとめ問題 B

問題 つぎの文を読んで、しつもんに答えなさい。

リサの文章

今日、いつもの仕事を①早退させてもらって、日本の本社へ②面接を受けに行った。まず、今の仕事のことを質問されて、③薬品の検査のためにしている実験について説明した。次に、仕事に④必要な⑤能力について聞かれたので、⑥職場の人とコミュニケーションすること、つまり、人の話をよく聞き、周りに⑦相談することが⑧重要だと言った。すると、私の⑨性格は⑩教師のような仕事に向いているかもしれないと言われた。⑪勤務地のことも聞かれた。

その後、⑫神社に⑬お参りして、本社で⑭国際的な仕事ができるように⑮お願いした。

問 1 ①〜⑮の漢字をひらがなにして、＿＿をぜんぶひらがなで書きなさい。（1点× 15）

①	②	③	④	⑤
⑥	⑦	⑧	⑨	⑩
⑪	⑫	⑬	⑭	⑮

問 2 リサの今の仕事について、正しいものを一つ選びなさい。（5点）

Select the item most appropriate to Lisa's current job.

Hãy chọn câu trả lời đúng về công việc hiện tại của Lisa

a

b

c

d

（　　）

UNIT 9 社会（しゃかい）

Society

Xã hội

1 産業（さんぎょう） Industry／Công nghiệp

2 経済（けいざい） Economics／Kinh tế

3 政治（せいじ） Government／Chính trị

4 情報（じょうほう） Information／Thông tin

5 理想（りそう） The Ideal Life／Lí tưởng

産業
さんぎょう

Industry／Công nghiệp

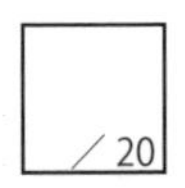

農業（のうぎょう）や**製造業**（せいぞうぎょう）など、いろんな**産業**（さんぎょう）で**労働**力（ろうどうりょく）が不足（ふそく）しているみたいだね。

そうだね。今（いま）は**商**品（しょうひん）やサービスがたくさんあるけど、これからどうなるか心配（しんぱい）だね。

"It sounds like a lot of industries like farming and manufacturing are lacking manpower."
"That's right. There's so many people in retail and services now. I'm worried what will happen."

"Ngành nông nghiệp, ngành chế tạo, rất nhiều ngành đang thiếu nguồn lao động."
"Đúng rồi. Bây giờ hàng hóa dịch vụ nhiều lên nhưng tương lai không biết thế nào đây."

1 産 サン		
	産業（さんぎょう）	industry công nghiệp
	フランス産（さん）	Product in France tiếng Pháp
	生産（せいさん）(する)	to produce sản xuất
	産地（さんち）	point of origin xuất xứ
	土産（みやげ）★	souvenir quà lưu niệm
11画 SẢN	create, birth	

2 製 セイ		
	製品（せいひん）	product sản phẩm
	日本製（にほんせい）	Made in Japanese sản xuất tại Nhật
14画 CHẾ	manufacture, make	

3 造 つく-る ゾウ		
	造る（つくる）	to make, to produce làm, chế tạo
	製造（せいぞう）(する)	to produce, to manufacture sản xuất, chế tạo
10画 TẠO	produce, mass production	

4 労 ロウ		
	苦労（くろう）(する)	to struggle vất vả
	疲労（ひろう）(する)	to get tired, fatigue lao lực
7画 LAO	labor	

5 働 はたら-く ドウ		
	働く（はたらく）	to work làm việc
	労働（ろうどう）(する)	to labor lao động
	労働者（ろうどうしゃ）	laborer người lao động
13画 ĐỘNG	work	

6 商 ショウ		
	商品（しょうひん）	merchandise, goods sản phẩm, hàng hóa
	商業（しょうぎょう）	commerical ngành thương mại, buôn bán
	商売（しょうばい）	business, commerce buôn bán
11画 THƯƠNG	merchant, commerical	

7 首 くび シュ		
	首（くび）	neck, head cổ
	手首（てくび）	wrist cổ tay
	首都（しゅと）	capital thủ đô
	首相（しゅしょう）	Prime Minister thủ tướng
9画 THỦ	neck, head, main	

8 都 ト ツ		
	都市（とし）	city, metropolis thành phố
	都会（とかい）	city nơi đô thị
	東京都（とうきょうと）	Tokyo metropolitan area thành phố Tokyo
	都道府県（とどうふけん）→9-3	administrative divisions of Japan đơn vị hành chính của Nhật
	都合（つごう）	circumstances, convenience điều kiện
11画 ĐÔ	capital, metropolis	

9 平 ヘイ		
	平和（へいわ）	peace hòa bình
	平日（へいじつ）	weekday ngày thường
	平均（へいきん）	average trung bình
	公平（こうへい）(な)	fair công bằng
5画 BÌNH	level, even, flat	

ドリル A　正しい読みをえらんでください。　1点×5

❶ 商品のラベルに野菜の産地が書いてある。　a. せいち　b. さんち

❷ テニスをしすぎて、手首が痛い。　a. しゅくび　b. てくび

❸ 人間は苦労によって成長すると思う。　a. くりょく　b. くろう

❹ 世界が平和でありますように。　a. へいわ　b. へんわ

❺ あの社長は昔から商売上手な人だった。　a. しょうり　b. しょうばい

ドリル B　正しい漢字をえらんでください。　1点×5

❶ 兄は東京＿＿（と）の職員だ。　a. 部　b. 郵　c. 都

❷ ドイツ＿＿（せい）の車は丈夫だと思う。　a. 制　b. 製　c. 性

❸ コンビニの＿＿（しょう）品は種類が多い。　a. 商　b. 賞　c. 相

❹ ＿＿（ろう）働時間が長すぎるのは問題だ。　a. 労　b. 営　c. 栄

❺ このダムは30年前に＿＿（つく）られた。　a. 造　b. 産　c. 製

ドリル C　正しいほうをえらんで、ぜんぶひらがなで＿＿に書いてください。　1点×10

れい 天気がいいから、（ⓐ公園　b. 道路）に行きましょう。　こうえん

❶ アメリカ（a. 産　b. 製）の牛肉で、焼肉をしよう。　＿＿＿＿

❷ 来週、カナダの（a. 首相　b. 首都）が来日するそうだ。　＿＿＿＿

❸ 私は、田舎じゃなく（a. 都合　b. 都会）に住みたい。　＿＿＿＿

❹ ここが、ピアノを（a. 商業　b. 製造）している工場だ。　＿＿＿＿

❺ 前回の試験の（a. 平均　b. 平日）点は70点だった。　＿＿＿＿

経済(けいざい)

Economics／Kinh tế

この国(くに)は最近(さいきん)、**経済**(けいざい)が**成**長(せいちょう)し続(つづ)けているね。

うん。**輸**出(ゆしゅつ)も輸入(ゆにゅう)も毎年(まいとし)のびて、**貿易**(ぼうえき)がますます**盛**(さか)んになってる。

"The country's economy is continuing to grow."
"Yup. Exports and imports grow every year and trade is prospering more and more."

"Kinh tế nước này liên tục tăng trưởng nhỉ."
"Ừ, cả nhập khẩu và xuất khẩu hàng năm đều tăng, ngoại thương ngày càng phát triển."

1	経	た-つ ケイ	(～が)経(た)つ	to pass, to elapse / trôi qua
			経験(けいけん)(する)	to experience / kinh nghiệm
11画	KINH		weaving	

2	済	す-む サイ ザイ	(～が)済(す)む	to finish, to settle / xong
			経済(けいざい)	economics / kinh tế
11画	TẾ		settled, arranged	

3	成	セイ	成長(せいちょう)(する)	to grow, to mature / trưởng thành, phát triển
			成人(せいじん)	(legal) adult / thành nhân (chỉ người tròn 20 tuổi)
			成功(せいこう)(する)	to succeed / thành công
			完成(かんせい)(する)	to complete / hoàn thành
6画	THÀNH		finished, complete	

4	輸	ユ	輸出(ゆしゅつ)(する)	to export / xuất khẩu
			輸入(ゆにゅう)(する)	to import / nhập khẩu
			輸出入(ゆしゅつにゅう)	import/export / xuất nhập khẩu
			輸送(ゆそう)(する)	to transport / vận chuyển
16画	LUÂN		transport	

5	貿	ボウ	貿易(ぼうえき)	trade / ngoại thương
12画	MẬU		trade	

6	易	やさ-しい エキ イ	易(やさ)しい	easy, simple / dễ
			容易(ようい)(な)	easy, simple / dễ dàng
8画	DỊCH		simple, fortunetelling	

7	盛	さか-ん も-る	盛(さか)ん(な)	prosperous, thriving / thịnh hành, sôi nổi, phát triển
			大盛(おおも)り	large size, large portion / đầy ắp
11画	THỊNH		prosperity	

8	営	エイ	営業(えいぎょう)(する)	to conduct business/sales / mở cửa, kinh doanh
			経営(けいえい)(する)	to manage, to run / kinh doanh
12画	DOANH		conducting business	

9	第	ダイ	第一(だいいち)(の、に)	No. 1, first / thứ nhất
			第(だい)～	No.～ *prefix used to denote order / *Từ đặt trước chữ số thể hiện thứ tự ＊順序(じゅんじょ)を表(あらわ)す数字(すうじ)の前(まえ)につける言葉(ことば)
11画	ĐỆ		number in series	

10	個	コ	～個(こ)	*suffix used to indicate amount / *Từ thêm vào sau chữ số khi nói về số lượng ＊数(かず)を表(あらわ)すときに数字(すうじ)につける言葉(ことば) →別冊
			個数(こすう)	amount of items / số lượng
			個人(こじん)	individual (person) / cá nhân
			個人的(こじんてき)(な)	personally, individually / tính cá nhân
			個性(こせい)	characteristic / cá tính
10画	CÁ		individual, single	

ドリル A 正しい読みをえらんでください。 1点×5

❶ 実験は成功したようだ。　a. せいこう　b. せいかく

❷ ごはんは大盛りで、お願いします。　a. おおもり　b. だいさかり

❸ 日本は海外との貿易に力を入れてきた。
にほん　かいがい　　　ちから　い

　a. ぼうい　b. ぼうえき

❹ 彼らはもう成人で、皆、仕事を持っている。
かれ　　　　　みな　しごと　も

　a. せいにん　b. せいじん

❺ 父はスーパーの経営をしている。　a. けいえい　b. けいざい

ドリル B 正しい漢字をえらんでください。 1点×5

❶ 日本に来てから、もう５年も＿＿(た)った。　a. 立　b. 建　c. 経

❷ 食事が＿＿(す)んだら、いっしょに出かけよう。　a. 済　b. 住　c. 成

❸ 経＿＿(ざい)問題について考える。
けい　　もんだい　　かんが
　　ざい

　a. 在　b. 剤　c. 済

❹ 試験は、思ったより＿＿(やさ)しかった。　a. 優　b. 易　c. 安

❺ 今日の授業は＿＿(だい)五課からだ。
きょう　じゅぎょう　　ごか
　　　　　　　　だい

　a. 弟　b. 題　c. 第

ドリル C 正しいほうをえらんで、ぜんぶひらがなで＿＿に書いてください。 1点×10

れい 天気がいいから、（ⓐ公園　b. 道路）に行きましょう。
てんき　　　　　　　　こうえん　　どうろ　　い
　こうえん

❶ 当店は、連休中も（a 営業　b. 経験）しております。　＿＿＿＿
とうてん　れんきゅうちゅう

❷ 日本は多くの果物を外国から（a. 輸出　b. 輸入）している。　＿＿＿＿
にほん　おお　くだもの　がいこく

❸ 大会には、（a. 個人　b. 個性）でも団体でも参加できる。　＿＿＿＿
たいかい　　　　　　　　　　　　だんたい　さんか

❹ 工事を始めて５年、橋がついに（a. 完成　b. 成長）した。　＿＿＿＿
こうじ　はじ　　ねん　はし

❺ この町は、昔から商業が（a. 輸送　b. 盛ん）だ。　＿＿＿＿
まち　むかし　しょうぎょう

政治

Government／Chính trị

／20

今(いま)、たばこやお酒(さけ)の**税**(ぜい)を上(あ)げるかどうか、**議論**(ぎろん)になってるね。

政府(せいふ)は上(あ)げたいんだよ。簡単(かんたん)に予算(よさん)にできるからね。

"There's currently debate on whether to raise taxes on tabacco and alcohol."
"The government wants to raise taxes since it makes it easier to craft a budget."

"Bây giờ đang có tranh luận về việc tăng thuế thuốc lá và rượu hay không."
"Chính phủ thì muốn tăng rồi. Vì sẽ đơn giản tăng được ngân sách mà."

1 政 セイ		
	政治 せいじ	government, politics chính trị
	政治家 せいじか	politician chính trị gia
9画 CHÍNH	government	

2 税 ゼイ		
	税金 ぜいきん	tax tiền thuế
	税込／税込み ぜいこみ／ぜいこ	including tax, w/tax bao gồm thuế
	消費税 しょうひぜい	consumption tax thuế tiêu dùng
12画 THUẾ	tax	

3 議 ギ		
	議員 ぎいん	legislative member nghị sĩ
	会議 かいぎ	meeting, assembly, conference hội nghị
	議長 ぎちょう	chairman, head chủ tịch hội nghị, quốc hội
	議会 ぎかい	parliament quốc hội
20画 NGHỊ	discussion	

4 論 ロン		
	議論(する) ぎろん	to discuss, to debate nghị luận
	結論 けつろん	conclusion kết luận
	論文 ろんぶん	thesis luận văn
	論理 ろんり	logic lí luận
	論理的(な) ろんりてき	logical tính lí luận
15画 LUẬN	debate	

5 府 フ		
	政府 せいふ	government chính phủ
	都道府県 とどうふけん	administrative divisions of Japan đơn vị hành chính của Nhật
	大阪府 おおさかふ	Osaka prefecture phủ Osaka
	京都府 きょうとふ	Kyoto prefecture phủ Kyoto
8画 PHỦ	borough	

6 反 ハン		
	反対 はんたい	opposite, opposing sự phản đối
	(～に)反対する はんたい	to oppose phản đối
4画 PHẢN	opposite, against	

7 移 うつ-る うつ-す イ		
	(～が)移る うつ	to move, to transfer chuyển
	(～を)移す うつ	to move, to transfer di chuyển
	移動(する) いどう	to move di chuyển
11画 DI	transfer, move	

8 立 た-つ た-てる リツ		
	(～が)立つ た	to stand đứng
	(～を)立てる た	to stand upright dựng lên
	写真立て しゃしんた	photo stand giá để ảnh
	国立 こくりつ	national quốc lập
	公立 こうりつ	public công lập
	私立 しりつ	private tư lập
	成立(する) せいりつ	come into effect thành lập
5画 LẬP	stand	

ドリル A　正しい読みをえらんでください。　1点×5

❶ 母は、国立大学の教授です。
_{はは}　　_{だいがく}　_{きょうじゅ}
　a. くにたつ　b. こくりつ

❷ ここに書いてあるのは、税込の価格です。　a. ぜいこみ　b. ぜいいり

❸ 彼は議員として20年間、活動を続けてきた。　a. ぎんいん　b. ぎいん

❹ 論文のテーマがまだ決まらない。　a. りんもん　b. ろんぶん

❺ 私立高校の授業料って、高いんでしょ？
_{こうこう}　_{じゅぎょうりょう}　_{たか}
　a. しいりつ　b. しりつ

ドリル B　正しい漢字をえらんでください。　1点×5

❶ レポートは＿＿(ろん)理的に書かなければならない。　a. 論　b. 輪　c. 倫

❷ 彼は学生時代から＿＿(せい)治家をめざしていた。
_{かれ} _{がくせい じ だい}　_{せい}_{じ か}
　a. 政　b. 盛　c. 成

❸ その意見には＿＿(はん)対です。　a. 友　b. 原　c. 反

❹ テーブルを部屋の真ん中に＿＿(い)動した。　a. 移　b. 意　c. 位

❺ 京都＿＿(ふ)のホームページに観光案内がある。
_{きょうと}　_ふ　　_{かんこうあんない}
　a. 付　b. 府　c. 普

ドリル C　正しいほうをえらんで、ぜんぶひらがなで＿＿に書いてください。　1点×10

れい　天気がいいから、（ⓐ公園　b. 道路）に行きましょう。　こうえん

❶ 1時間も話し合って、やっと（a 結論　b. 政治）が出た。　＿＿＿＿

❷ 日本の（a. 都道府県　b. 大阪府）の中で、北海道が一番広い。　＿＿＿＿
_{に ほん}　　　　　　　　　　　_{なか}　_{ほっかいどう} _{いちばんひろ}

❸（a. 消費税　b. 論理）が上がると、生活が苦しくなるかなあ。　＿＿＿＿

❹ 早く来月の予定を（a. 立た　b. 立て）なくちゃ。　＿＿＿＿
_{はや} _{らいげつ} _{よ てい}

❺ 首都を地方に（a. 移ろう　b. 移そう）という意見がある。　＿＿＿＿
_{しゅと} _{ち ほう}　　　　　　　　　　　_{い けん}

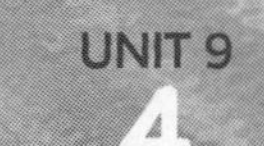

UNIT 9 4

情報

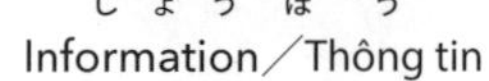

じょうほう

Information／Thông tin

／20

この市の人口の変化を**示**すグラフを見ると、５年間で１**割**も**減**ってるね。

そうだね。でも、外国人の割合は**倍**に**増**えてるよ。

"Looking at the city's population change on this graph, it's declined by 10% over the past 5 years.
"You're right. But the ratio of foreigners has multiplied."

"Nhìn biểu đồ biến đổi dân số của thành phố này thì trong 5 năm giảm những 10%."
"Ừ. Nhưng tỉ lệ người nước ngoài lại tăng lên gấp đôi đấy."

1 示 しめ-す ジ		
	示す（しめ）	to show, to indicate / chỉ
	表示（する）（ひょうじ）	to display / chỉ thị
5画 THỊ	display, show	

2 割 わ-れる わ-る わり		
	（～が）割れる（わ）	to break, to split / vỡ
	（～を）割る（わ）	to break, to split / làm vỡ
	割合（わりあい）	ratio / tỉ lệ
	４割（わり）	40% / 40%
	割引（する）（わりびき）／割引き（する）（わりび）	discount / giảm giá
	時間割（じかんわり）	timetable / thời khóa biểu
12画 CATS	divide, portion, ratio	

3 減 へ-る へ-らす ゲン		
	（～が）減る（へ）	to decrease / giảm
	（～を）減らす（へ）	to decrease, to reduce / giảm
	（～が）減少（する）（げんしょう）	to decrease, to reduce / giảm xuống
	減量（する）（げんりょう）	to lose of weight/volume / giảm lượng
12画 GIẢM	decrease	

4 倍 バイ		
	倍（ばい）	multiplier / gấp (số lần)
	３倍（ばい）	triple, three-fold / 3 lần
10画 BỘI	multiply	

5 増 ふ-える ふ-やす ゾウ		
	（～が）増える（ふ）	to increase / tăng lên
	（～を）増やす（ふ）	to increase / tăng
	（～が）増加（する）（ぞうか）	to increase, to add / tăng lên
	増量（する）（ぞうりょう）	to increase of weight/volume / tăng lượng
14画 TĂNG	increase	

6 価 カ		
	価格（かかく）	price / giá cả
	価値（かち）	price, value / gía trị
	定価（ていか）	retail price / giá niêm yết
	物価（ぶっか）	price of commodity / vật giá
	高価（な）（こうか）	high-priced, expensive / đắt tiền
8画 GIÁ	price	

7 関 カン		
	関心（かんしん）	interest / quan tâm
	（～に）関する（かん）	to be related to / liên quan đến ～
	関係（かんけい）	relation, connection / liên quan
14画 QUAN	connection, nexus	

8 存 ソン ゾン		
	保存（する）（ほぞん）	to save, to preserve / bảo quản
	存じ上げる（ぞん　あ）	humble term for 知っている / từ khiêm nhường của「知っている」
	ご存じ（ぞん）	respectful term for 知っている / từ tôn kính của「知っている」
6画 TỒN	know, be	

正しい読みをえらんでください。 1点×5
ただ よ

❶ 彼女のお父さんが入院したのを<u>ご存じ</u>ですか。 a. ごぞんじ b. ごそんじ
かのじょ ちち にゅういん

❷ 日本の<u>物価</u>は高いと思いますか。 a. ぶか b. ぶっか
に ほん たか おも

❸ このサービスの利用者が<u>増加</u>している。 a. ぞうか b. ぞっか
り ようしゃ

❹ ファイルを<u>保存</u>し忘れてしまった。 a. ほうぞん b. ほぞん
わす

❺ 情報は、利用しなければ<u>価値</u>がない。 a. かね b. かち
じょうほう り よう

正しい漢字をえらんでください。 1点×5
ただ かん じ

❶ ここに製造年月日が表___されている。 a. 字 b. 示 c. 治
せいぞうねんがっ ぴ ひょう
じ

❷ 子どもの数が___少している。 a. 限 b. 現 c. 減
こ かず しょう
げん

❸ 5人だった参加者が___の10人になった。 a. 倍 b. 価 c. 部
にん さん か しゃ にん
ばい

❹ 石油の___格が急に上がった。 a. 価 b. 科 c. 化
せき ゆ かく きゅう あ
か

❺ 私は美術に___心があります。 a. 間 b. 関 c. 感
わたし び じゅつ しん
かん

UNIT
9

社
会

正しいほうをえらんで、ぜんぶひらがなで___に書いてください。 1点×10
ただ か

[れい] 天気がいいから、(ⓐ公園 b. 道路)に行きましょう。 <u>こうえん</u>
てん き い

❶ このグラフは50年間の変化を(a. 示し b. 存じ上げ)ている。 _____
ねんかん へん か

❷ 会員カードを作ると、商品を(a. 割引 b. 割合)してくれる。 _____
かいいん つく しょうひん

❸ 短い旅行だから、荷物はもっと(a. 減った b. 減らした)方がいい。 _____
みじか りょこう に もつ ほう

❹ 少しずつだが、女性の議員が(a. 増えて b. 増やして)きている。 _____
すこ じょせい ぎ いん

❺ 茶わんが(a. 割れて b. 割って)しまった。 _____
ちゃ

理想（りそう）

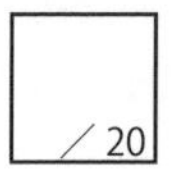
／20

The Ideal Life／Lí tưởng

いつかは結婚（けっこん）したい？　それとも、ずっと**独身**（どくしん）でもいい？

結婚（けっこん）したいよ。で、**夫婦**（ふうふ）で世界中（せかいじゅう）を旅行（りょこう）するのが理**想**（りそう）。

"When do you want to get married? Or are you OK with being single forever?"
"I want to get married. The ideal would be to travel the world as a married couple."

"Cậu muốn khi nào kết hôn? Hay cứ độc thân suốt?"
"Tớ muốn kết hôn chứ. Rồi vợ chồng cũng nhau du lịch thế giới là lí tưởng nhất."

1 想	ソウ	理想（りそう）	ideal / lí tưởng
		感想（かんそう）	reaction, impression / cảm tưởng
		予想（よそう）（する）	prediction / dự đoán
		理想的（りそうてき）（な）	ideal / tính lí tưởng
13画	TƯỞNG	think, imagine	

2 婚	コン	結婚（けっこん）（する）	to marry / kết hôn
		結婚式（けっこんしき）	wedding ceremony / lễ kết hôn
		婚約（こんやく）（する）	to get engaged / đính hôn
		新婚旅行（しんこんりょこう）	honeymoon / tuần trăng mật
11画	HÔN	marriage	

3 独	ドク	独身（どくしん）	single / độc thân
		独特（どくとく）（な）	unqiue / độc đáo
		独立（どくりつ）（する）	to be independent / độc lập
9画	ĐỘC	alone, single	

4 身	み シン	（～が）身（み）につく	to acquire knowledge, to learn a skill / lĩnh hội được ～
		（～を）身（み）につける	to acquire knowledge, to learn a skill / trau dồi ～
		中身（なかみ）	contents / nhân
		身長（しんちょう）	(body) height / chiều cao
7画	THÂN	body	

5 夫	おっと フ フウ	夫（おっと）	husband / chồng
		田中夫人（たなかふじん）	Mrs. Tanaka / phu nhân (bà) Tanaka (chỉ vợ của ông Tanaka)
		工夫（くふう）（する）★	to scheme, to devise / công phu, kì công
4画	PHU	husband	

6 婦	フ	夫婦（ふうふ）	married couple, husband and wife / vợ chồng
		婦人（ふじん）	lady, woman / phụ nữ, nữ
		主婦（しゅふ）	housewife / nội trợ
11画	PHỤ	wife, lady	

7 妻	つま サイ	妻（つま）	wife / vợ
		夫妻（ふさい）	husband and wife / vợ chồng
		田中夫妻（たなかふさい）	Mr. & Mrs. Tanaka / vợ chồng ông Tanaka
8画	THÊ	wife	

8 奥	おく	奥（おく）	inside, rear / sâu bên trong
		奥（おく）さん	one's wife / vợ
		奥様（おくさま）	one's wife / vợ
12画	ÁO	interior, heart, inside	

ドリル A　正しい読みをえらんでください。　1点×5

❶ 英語を身につけたいと考える人は多い。　a. しん　b. み

❷ 店の売り上げを増やすには工夫が必要だ。　a. こうふ　b. くふう

❸ これは、主婦100人にアンケートをとった結果だ。　a. しゅうふ　b. しゅふ

❹ ご夫妻ごいっしょにいらっしゃいませんか。　a. ふさい　b. ふうさい

❺ デパートの婦人用トイレは、いつもきれいだ。　a. ふにん　b. ふじん

ドリル B　正しい漢字をえらんでください。　1点×5

❶ ＿＿（おっと）はまだ仕事から戻っておりません。　a. 天　b. 夫　c. 失

❷ 二人は新＿＿（こん）旅行に出かけた。　a. 婚　b. 婦　c. 妻

❸ 箱の中＿＿（み）が何か、早く知りたい。　a. 実　b. 身　c. 未

❹ 押し入れの＿＿（おく）から古い日記が出てきた。　a. 横　b. 置　c. 奥

❺ 7月4日はアメリカの＿＿（どく）立記念日だ。　a. 独　b. 読　c. 特

ドリル C　正しいほうをえらんで、ぜんぶひらがなで＿＿に書いてください。　1点×10

れい　天気がいいから、（ⓐ 公園　b. 道路）に行きましょう。　こうえん

❶ 田中さんは（a. 身長　b. 理想）が高くて190cm近くある。　＿＿＿＿

❷（a. 独身　b. 婦人）の頃は、よく夜遅くまで遊んだなあ。　＿＿＿＿

❸ 連休中は、道路の混雑が（a. 予想　b. 感想）されます。　＿＿＿＿

❹ 隣のご（a. 奥様　b. 夫婦）は、二人とも医者らしい。　＿＿＿＿

❺ この魚は（a. 独特な　b. 理想的な）味なので、嫌いだという人も多い。　＿＿＿＿

まとめ問題A

問題1 ＿＿＿の言葉の読み方として最もよいものを1・2・3・4から一つ選びなさい。

（1点×7）

1 イベントには、若い夫婦も多く参加した。

1 ふうふ　2 ふふう　3 ふうふう　4 ふふ

2 このグラフは、この10年の変化を示しています。

1 しして　2 さして　3 しじして　4 しめして

3 写真のデータは、どうやって保存するのが一番いいのかな。

1 ほそん　2 ほぞん　3 ほうそん　4 ほうぞん

4 気持ちを言葉にして表すのは、簡単じゃないと思う。

1 ひょうす　2 あわす　3 ひょうらす　4 あらわす

5 週末は、お祭りに行く予定だ。

1 おまいり　2 おまつり　3 おいなり　4 おとなり

6 仕事に加えて家族の用事もあって、毎日忙しい。

1 そなえて　2 かまえて　3 くわえて　4 こたえて

7 日本の都道府県の名前を全部言える？

1 とどふけん　2 とうどふけん　3 とどうふけん　4 とうどうふけん

問題2 ＿＿＿の言葉の書き方として最もよいものを1・2・3・4から一つ選びなさい。

（1点×7）

1 この村は、米づくりがさかんです。

1 盛ん　2 盛かん　3 酒かん　4 酒ん

2 いつか海外ではたらいてみたいです。

1 動いて　2 勤いて　3 働いて　4 労いて

3 今朝、階段で転んで、てくびを痛めてしまった。

1 毛首　2 手首　3 毛直　4 手直

4 日本のぶっかは少し高いと思う。

1 物課　　2 持課　　3 物価　　4 持価

5 子どもの数のげんしょうが問題になっている。

1 現象　　2 現賞　　3 減小　　4 減少

6 このレポート、グラフの書き方をくふうしたら、すごくよくなるよ。

1 苦夫　　2 工夫　　3 苦労　　4 工労

7 初めての人にもよくわかるやさしい本です。

1 優しい　　2 難しい　　3 易しい　　4 忙しい

問題3　（　　）に入れるのに最もよいものを1・2・3・4から一つ選びなさい。　（1点×3）

1 兄は、国（　　）の大学を卒業しました。

1 的　　2 式　　3 型　　4 立

2 あの人、ニュースに出ていた政治（　　）じゃない？

1 科　　2 家　　3 課　　4 化

3 バーゲンで、イタリア（　　）のスーツを1着買った。

1 性　　2 産　　3 製　　4 算

問題4　（　　）に入れるのに最もよいものを1・2・3・4から一つ選びなさい。　（1点×3）

1 エアコンをとなりの部屋に（　　　）たいんだけど、できるかな？

1 移動し　　2 引っ越し　　3 反対し　　4 割り

2 （　　　）5万円のパソコンが、2万円も安くなっている。

1 営業　　2 定価　　3 費用　　4 送料

3 会議を始めてから、4時間も（　　　）しまった。

1 立って　　2 経って　　3 住んで　　4 済んで

UNIT 9

まとめ問題 B

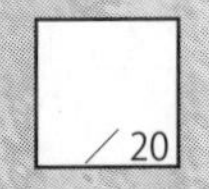

問題 つぎの文を読んで、しつもんに答えなさい。

マリオの文章

いろいろ①経験して、社会のことを考えるようになった。②独身の人の③割合が④増えているが、⑤結婚は⑥個人的な問題だから、いろいろな考え方があると思う。⑦夫と⑧妻の⑨関係も、昔と比べて変化している。⑩理想は変わっていくけれど、だれでも自由に勉強したり働いたりして⑪成長できる社会がいい。また、⑫労働と⑬生産についての最近の⑭論文にも⑮関心があるから、今度、読んでみよう。

問1 ①～⑮の漢字をひらがなにして、____をぜんぶひらがなで書きなさい。 （1点× 15）

①	②	③	④	⑤
⑥	⑦	⑧	⑨	⑩
⑪	⑫	⑬	⑭	⑮

問2 文章の内容に合うグラフを一つ選びなさい。 （5点）

Select the graph that matches the passage.

Hãy chọn một biểu đồ phù hợp với nội dung đoạn văn.

a

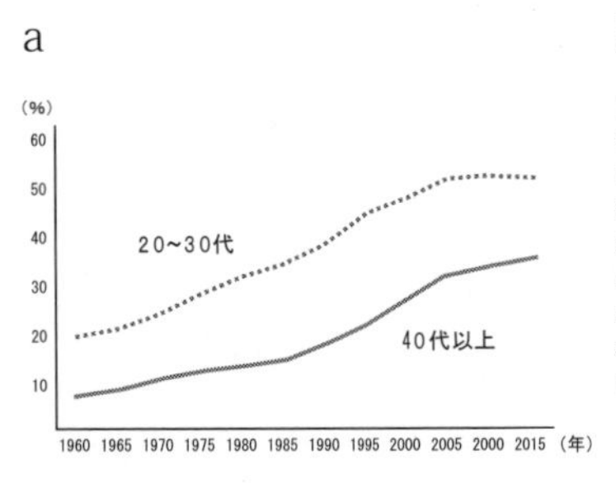

b

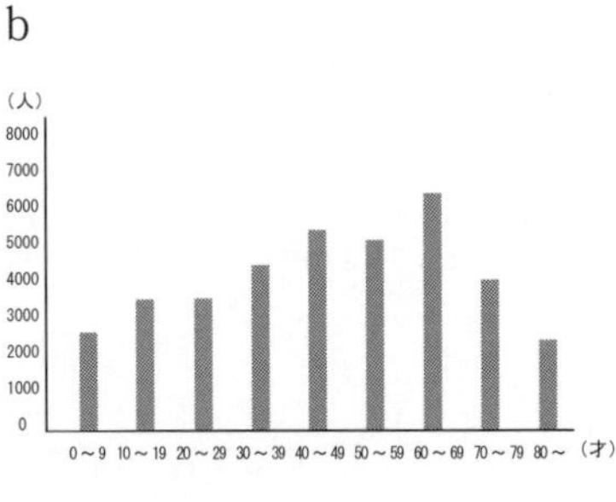

c

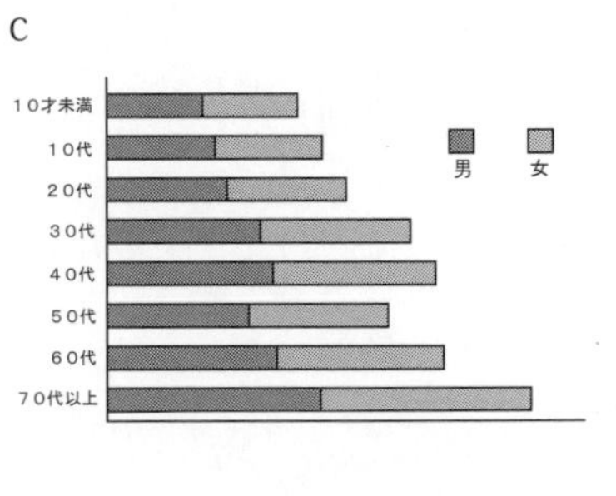

（　　　）

実力テスト 第1回

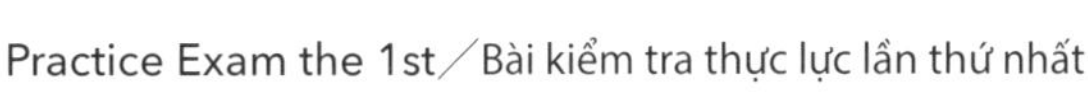

Practice Exam the 1st／Bài kiểm tra thực lực lần thứ nhất

問題1 ＿＿のことばの読み方として最もよいものを、１・２・３・４から一つえらびなさい。

1 では、シャツを上に上げて、ゆっくり呼吸をしてください。

1　こきゅう　　2　こすう　　3　よきゅ　　4　よす

2 頭痛にいい薬はありませんか。

1　ずつう　　2　とうつ　　3　ずびょう　　4　とうよう

3 いい点が取れたので、満足している。

1　まんそく　　2　りょうそく　　3　まんぞく　　4　りょうぞく

4 食事にさそったが、断られた。

1　あずけ　　2　こま　　3　ことわ　　4　はか

5 転んでけがをしないよう、気をつけてください。

1　あそんで　　2　えらんで　　3　ころんで　　4　むすんで

6 資料をよく読んでおいてください。

1　しか　　2　しりょう　　3　じか　　4　じりょう

7 みんなが無事に帰って、ほっとした。

1　ぶし　　2　むし　　3　ぶじ　　4　むじ

8 夏は電気の消費量が増える。

1　しゅっひ　　2　しょうひ　　3　しゅっぴ　　4　しょっぴ

問題2 ＿＿のことばを漢字で書くとき、最もよいものを、1・2・3・4から一つえらびなさい。

1 火事のげんいんはまだはっきりしない。

1 元因　2 原因　3 元員　4 原員

2 このきごうはどういういみですか。

1 気号　2 記号　3 器号　4 機号

3 商品(しょうひん)は6月にかんせいするそうです。

1 刊生　2 刊成　3 完生　4 完成

4 病院に行って、くわしいけんさをしたほうがいい。

1 研真　2 研作　3 検査　4 検算

5 3000円じゃ、たりないかもしれない。

1 足　2 少　3 分　4 借

6 もうすぐ引(ひ)っ越(こ)すので、にもつをせいりしなければならない。

1 整利　2 整理　3 製利　4 製理

問題3　（　　）に入れるのに最も よいものを、１・２・３・４から一つえらびなさい。

1 中村先生と直接話をする（　　　　）が持てて、よかったです。

1　機会　　2　診察　　3　伝言　　4　面接

2 ギターを習い始めたが、なかなか（　　　　）しない。

1　進学　　2　上達　　3　優勝　　4　追加

3 熱いから、ちょっと（　　　　）から食べてください。

1　温めて　　2　暖めて　　3　冷まして　　4　覚まして

4 商品を買ったお客さんから（　　　　）の電話がかかってきて、怒られた。

1　苦情　　2　事務　　3　不便　　4　残念

5 彼女は学生のころから、動物を助ける（　　　　）を続けている。

1　感心　　2　活動　　3　自信　　4　常識

6 その仕事が（　　　　）、こっちを手伝ってくれる？

1　移ったら　　2　消えたら　　3　済んだら　　4　直ったら

7 このアルバイトは交通（　　　　）を全部出してくれる。

1　代　　2　料　　3　金　　4　費

8 そんなに感情的にならないで、もう少し（　　　　）話してもらえないかなあ。

1　実際に　　2　非常に　　3　機械的に　　4　論理的に

実力(じつりょく)テスト 第(だい)2回(かい)

Practice Exam the 2nd／Bài kiểm tra thực lực lần thứ 2

／22

目標(もくひょう)14点(てん)

問題1 ＿＿のことばの読み方として最もよいものを、１・２・３・４から一つえらびなさい。

1 明日は、８時に駅の前に<u>集合</u>ね。

1　しゅごう　　2　しゅうご　　3　しゅご　　4　しゅうごう

2 A国の首相(しゅしょう)が亡(な)くなったというニュースは<u>事実</u>ですか。

1　ことじつ　　2　ごとじつ　　3　じじつ　　4　しじつ

3 いつも<u>月末</u>は仕事が忙(いそが)しくなる。

1　がつみ　　2　げつみ　　3　げつまつ　　4　がつまつ

4 本を借りる方は、こちらで名前と住所の<u>登録</u>をしてください。

1　とうろく　　2　どうろく　　3　とうりょく　　4　どうりょく

5 旅行に行くまえに、その場所の<u>情報</u>を調(しら)べておいたほうがいいよ。

1　じょほう　　2　じょうほ　　3　じょうほう　　4　じょほ

6 このスーパーは、買ったものを<u>配達</u>してくれるそうだ。

1　はいたち　　2　はいだち　　3　はいだつ　　4　はいたつ

7 実験(じっけん)の<u>方法</u>は、この紙に書いてあります。

1　かたほ　　2　ほうほ　　3　かたほう　　4　ほうほう

8 注文(ちゅうもん)した商品(しょうひん)が<u>届く</u>のを楽しみにしています。

1　とどく　　2　どどく　　3　ととく　　4　どとく

問題２　＿＿のことばを漢字で書くとき、最もよいものを、１・２・３・４から一つえらびなさい。

１ 必ず合格するので、きたいしていてください。

1　機体　　2　期待　　3　気体　　4　希代

２ 先週から漢字のがくしゅうを始めました。

1　学習　　2　学集　　3　楽習　　4　楽集

３ 今日は両親の結婚きねん日だ。

1　希年　　2　記念　　3　希念　　4　記年

４ まず、バターと砂糖をまぜてください。

1　込ぜて　　2　真ぜて　　3　交ぜて　　4　混ぜて

５ あまりむりをすると、病気になっちゃうよ。

1　無理　　2　無利　　3　未理　　4　未利

６ 今からお弁当は全部はんがくですよ。

1　飯楽　　2　半楽　　3　半額　　4　飯額

問題3 （　　）に入れるのに最もよいものを、1・2・3・4から一つえらびなさい。

1 この店のケーキ、とても人気があって、（　　　　）と買えないらしいよ。

1　並(なら)ばない　　2　困(こま)らない　　3　要(い)らない　　4　込(こ)まない

2 レポートは（　　　　）の月曜日までに出してください。

1　昨日(きのう)　　2　未来(みらい)　　3　再来週(さらいしゅう)　　4　先週(せんしゅう)

3 今日の会議(かいぎ)は田中(たなか)さんが（　　　　）をします。

1　司会(しかい)　　2　定員(ていいん)　　3　一般(いっぱん)　　4　他人(たにん)

4 自分で晩(ばん)ご飯を作ったが、油(あぶら)の（　　　　）が高すぎて、失敗(しっぱい)してしまった

1　物価(ぶっか)　　2　気温(きおん)　　3　温度(おんど)　　4　食欲(しょくよく)

5 兄は今度(こんど)、マラソン大会に（　　　　）するそうだ。

1　生活(せいかつ)　　2　実行(じっこう)　　3　修理(しゅうり)　　4　参加(さんか)

6 この品物の（　　　　）が分からない人に、プレゼントしたくないよ。

1　発表(はっぴょう)　　2　会費(かいひ)　　3　価値(かち)　　4　希望(きぼう)

7 「がんばれ」は、日本語では（　　　　）に使われていることばです。

1　流行(りゅうこう)　　2　国際的(こくさいてき)　　3　満足(まんぞく)　　4　日常的(にちじょうてき)

8 わたしの町は（　　　　）がきれいなので、夜は星がよく見えます。

1　空気(くうき)　　2　土地(とち)　　3　風景(ふうけい)　　4　草原(そうげん)

N4 N5 漢字チェックリスト

N4N5 Kanji Checklist／Danh bạ N4N5 Kanji

☆ … この本のメインのパートで取り上げた漢字
★ … 特別な読み方

訓読みでよく使われるもののあいうえお順。ただし、漢数字（一、二、三…）と訓読みのない漢字は音読みのあいうえお順。

No.	漢字	読み方	例	翻訳
1	間	あいだ ま カン	□ A と B の間（あいだ）	between A and B giữa A và B
			□ 間に合う（ま・あ）	to be in time kịp
			□ 時間（じかん）	period of time thời gian
2	会	あ-う カイ	□ 会う（あ）	to meet gặp
			□ 会社（かいしゃ）	company công ty
3	合☆	あ-う	□（～に）合う（あ）	to match with, to suit phù hợp
4	青	あお あお-い	□ 青（あお）	blue màu xanh
			□ 青い（あお）	blue xanh
5	赤	あか あか-い	□ 赤（あか）	red màu đỏ
			□ 赤い（あか）	red đỏ
6	明	あか-るい メイ	□ 明るい（あか）	bright sáng
			□ 説明（せつめい）	explanation giải thích
			□ 明日★（あす）	tomorrow ngày mai
7	秋	あき	□ 秋（あき）	autumn mùa thu
8	開	あ-く あ-ける ひら-く カイ	□（～が）開く（あ）	open, be opened mở
			□（～を）開ける（あ）	open mở
			□（～を）開く（ひら）	open mở
			□ 開店（する）（かいてん）	to open shop mở cửa
9	朝	あさ	□ 朝（あさ）	morning buổi sáng
10	足☆	あし	□ 足（あし）	foot, leg chân
11	味	あじ ミ	□ 味（あじ）	taste, flavor mùi vị
			□ 意味（いみ）	meaning ý nghĩa
12	頭	あたま	□ 頭（あたま）	head đầu
13	新	あたら-しい シン	□ 新しい（あたら）	new mới
			□ 新聞（しんぶん）	newspaper tờ báo
14	暑	あつ-い	□ 暑い（あつ）	hot (weather) nóng
15	集☆	あつ-まる あつ-める	□（～が）集まる（あつ）	to gather tập hợp
			□（～を）集める（あつ）	to gather thu thập
16	兄	あに キョウ	□ 兄（あに）	older brother anh trai (của mình)
			□ お兄さん★（にい）	respectful term for 兄 anh trai (của người khác)
			□ 兄弟（きょうだい）	brothers, siblings anh em
17	姉	あね	□ 姉（あね）	older sister chị gái (của mình)
			□ お姉さん★（ねえ）	respectful term for 姉 chị gái (của người khác)
18	雨	あめ	□ 雨（あめ）	rain mưa
19	洗	あら-う セン	□ 洗う（あら）	to wash rửa, giặt, gội
			□ 洗たく（する）（せん）	to do laundry giặt đồ
20	歩	ある-く ホ	□ 歩く（ある）	to walk đi bộ
			□ 歩道（ほどう）	sidewalk vỉa hè
21	以	イ	□ 以上（いじょう）	from here on, …and above hơn
22	医	イ	□ 医者（いしゃ）	doctor bác sĩ
23	意	イ	□ 意見（いけん）	opinion ý kiến
24	言	い-う	□ 言う（い）	to say nói
25	家	いえ カ	□ 家（いえ）	house, home nhà
			□ 家族（かぞく）	family gia đình
26	生☆	い-きる う-まれる セイ	□ 生きる（い）	to live sống
			□ 生まれる（う）	to be born sinh ra
			□ 学生（がくせい）	student sinh viên

27	行☆	い-く コウ	□ 行く（い）	to go đi
			□ 銀行（ぎんこう）	bank ngân hàng
28	池☆	いけ	□ 池（いけ）	pond ao
29	急	いそ-ぐ キュウ	□ 急ぐ（いそ）	to hurry vội
			□ 急に（きゅう）	suddenly gấp
30	一	イチ ひと-つ	□ 一（いち）	one một
			□ 一つ（ひと）	one (thing), one (instance of) một cái
			□ (○月)一日★（がつ ついたち）	the 1st of ○○ mồng một
31	犬	いぬ	□ 犬（いぬ）	dog con chó
32	今	いま コン	□ 今（いま）	now bây giờ
			□ 今月（こんげつ）	this month tháng này
			□ 今日★（きょう）	today hôm nay
			□ 今朝★（けさ）	this morning sáng nay
			□ 今年★（ことし）	this year năm nay
33	妹	いもうと	□ 妹（いもうと）	younger sister em gái
34	入	い-れる はい-る い-る ニュウ	□ (～を)入れる（い）	to put in bỏ vào
			□ (～が)入る（はい）	to enter vào
			□ 入口/入り口（いりぐち い ぐち）	entrance cửa vào
			□ 入学(する)（にゅうがく）	to matriculate nhập học
35	色	いろ	□ 色（いろ）	color màu sắc
36	員	イン	□ 店員（てんいん）	store employee nhân viên bán hàng
37	院	イン	□ 病院（びょういん）	hospital bệnh viện
38	上	うえ うわ あ-げる あ-がる ジョウ	□ 上（うえ）	up trên
			□ 上着（うわぎ）	outerwear (coat, jacket, etc.) áo khoác
			□ (～を)上げる（あ）	to raise, to lift nâng lên
			□ (～が)上がる（あ）	to rise, to go up lên
			□ 屋上（おくじょう）	roof nóc nhà
			□ 上手な(な)★（じょうず）	skilled giỏi
39	動	うご-く ドウ	□ 動く（うご）	to move cử động
			□ 動物（どうぶつ）	animal động vật
40	牛	うし ギュウ	□ 牛（うし）	cow con bò
			□ 牛肉（ぎゅうにく）	beef thịt bò
41	後	うし-ろ あと ゴ	□ 後ろ（うし）	back phía sau
			□ 後（あと）	after sau
			□ 午後（ごご）	PM buổi chiều
42	歌	うた うた-う カ	□ 歌（うた）	song bài hát
			□ 歌う（うた）	to sing hát bài
			□ 歌手（かしゅ）	singer ca sĩ
43	写	うつ-す シャ	□ 写す（うつ）	to photograph chép, chụp
			□ 写真（しゃしん）	photograph tấm ảnh
44	海☆	うみ	□ 海（うみ）	ocean, sea biển
45	売	う-る う-れる バイ	□ (～を)売る（う）	to sell bán
			□ (～が)売れる（う）	to sell (i.e., be in demand) bán ra
			□ 売店（ばいてん）	kiosk quầy bán hàng
46	英	エイ	□ 英語（えいご）	English tiếng Anh
47	映	エイ	□ 映画（えいが）	movie phim
48	駅	エキ	□ 駅（えき）	station nhà ga
49	円	エン	□ 円（えん）	yen, circle tiền yên Nhật, hình tròn
50	園	エン	□ 動物園（どうぶつえん）	zoo vườn thú
51	多	おお-い	□ 多い（おお）	many, much nhiều
52	大	おお-きい ダイ タイ	□ 大きい（おお）	big to
			□ 大学（だいがく）	college trường đại học
			□ 大切(な)（たいせつ）	important, precious quan trọng
			□ 大人★（おとな）	adult người lớn
53	起	お-きる お-こす	□ (～が)起きる（お）	to arise, to get up xảy ra
			□ (～を)起こす（お）	to rouse gây ra

54	送	おく-る ソウ	□ 送る	おく	to send	gửi
			□ 送料	そうりょう	postage fee	cước phí
55	教	おし-える キョウ	□ 教える	おし	to teach	dạy, cho biết
			□ 教室	きょうしつ	classroom	lớp học
56	音	おと オン	□ 音	おと	sound	âm thanh
			□ 音楽	おんがく	music	âm nhạc
57	弟	おとうと ダイ	□ 弟	おとうと	younger brother	em trai
			□ 兄弟	きょうだい	brothers, siblings	anh em
58	男	おとこ ダン	□ 男	おとこ	man	đàn ông
			□ 男女	だんじょ	men and women	nam nữ
59	同☆	おな-じ	□ 同じ	おな	same	giống nhau
60	重	おも-い ジュウ	□ 重い	おも	heavy	nặng
			□ 体重	たいじゅう	body weight	cân nặng
61	思	おも-う	□ 思う	おも	to think	suy nghĩ
62	親	おや シン	□ 親	おや	parent	bố mẹ
			□ 親切(な)	しんせつ	nice, kind	tốt bụng
63	終	お-わる	□ 終わる	お	to end	kết thúc
64	女	おんな ジョ	□ 女	おんな	woman	đàn bà
			□ 男女	だんじょ	men and women	nam nữ
65	画	ガ カク	□ 映画	えいが	movie	phim
			□ 計画(する)	けいかく	to plan	kế hoạch
66	界	カイ	□ 世界	せかい	world	thế giới
67	買	か-う	□ 買う	か	to buy	mua
68	返	かえ-す ヘン	□ 返す	かえ	to return	trả lại
			□ 返事(する)	へんじ	to reply	trả lời
69	帰	かえ-る	□ 帰る	かえ	to go home	đi về
70	顔	かお	□ 顔	かお	face	mặt
71	書	か-く ショ	□ 書く	か	to write	viết
			□ 図書館	としょかん	library	thư viện
72	学	ガク ガッ	□ 大学	だいがく	college	trường đại học
			□ 学校	がっこう	school	trường học
73	貸	か-す	□ 貸す	か	to lend	cho mượn, cho thuê, cho vay
74	風☆	かぜ	□ 風	かぜ	wind	gió
75	方	かた ホウ	□ 書き方	か かた	writing style	cách viết
			□ あの方	かた	polite term for あの人	cách nói lịch sự của「あの人」
			□ あっちの方	ほう	over there	phía kia
			□ 安い方	ほう	the cheaper one	cái rẻ hơn
76	金	かね キン	□ お金	かね	money	tiền
			□ 金曜日	きんようび	Friday	ngày thứ sáu
77	紙	かみ	□ 紙	かみ	paper	giấy
78	体	からだ タイ	□ 体	からだ	body	cơ thể
			□ 体重	たいじゅう	body weight	cân nặng
79	借	か-りる	□ 借りる	か	to borrow	mượn, thuê, vay
80	軽	かる-い	□ 軽い	かる	light (weight)	nhẹ
81	川	かわ	□ 川	かわ	river	sông
82	漢	カン	□ 漢字	かんじ	kanji (Chinese characters)	chữ Hán
83	館	カン	□ 図書館	としょかん	library	thư viện
84	考	かんが-える	□ 考える	かんが	to think, to consider	suy nghĩ
85	気	キ	□ 元気(な)	げんき	lively, energetic	khoẻ mạnh
86	木	き モク	□ 木	き	tree	cây
			□ 木曜日	もくようび	Thursday	ngày thứ năm
87	聞	き-く き-こえる ブン	□ (〜を)聞く	き	to listen	nghe
			□ (〜が)聞こえる	き	to be able to hear	nghe thấy
			□ 新聞	しんぶん	newspaper	tờ báo

No.	Kanji	Reading	Word (reading)	English	Tiếng Việt
88	北	きた ホク	□ 北（きた）	north	phía bắc
			□ 北東（ほくとう）	northeast	phía đông bắc
89	九	キュウ ク ここの-つ ここの	□ 九（きゅう/く）	nine	chín
			□ 九つ（ここの）	nine (things)	chín cái
			□ (○月)九日（がつ ここのか）	the 9th of the month	mồng chín
90	究	キュウ	□ 研究(する)（けんきゅう）	to research	nghiên cứu
91	去	キョ	□ 去年（きょねん）	last year	năm ngoái
92	京	キョウ	□ 東京（とうきょう）	Tokyo	Tokyo
93	業	ギョウ	□ 工業（こうぎょう）	manufacturing industry	công nghiệp
94	着☆	き-る つ-く	□ 着る（き）	to wear	mặc
			□ 着く（つ）	to arrive	đến, tới
95	切	き-る セツ	□ 切る（き）	to cut	cắt
			□ 親切(な)（しんせつ）	nice, kind	tốt bụng
96	銀	ギン	□ 銀行（ぎんこう）	bank	ngân hàng
97	区	ク	□ ～区（く）	ward	quận ～
98	薬☆	くすり	□ 薬（くすり）	medicine	thuốc
99	口	くち コウ	□ 口（くち）	mouth	miệng
			□ 人口（じんこう）	population	dân số
100	国	くに	□ 国（くに）	country, nation	nước
		コク	□ 外国（がいこく）	foreign country	nước ngoài
101	首☆	くび	□ 首（くび）	neck	cổ
102	暗	くら-い	□ 暗い（くら）	dark	tối
103	来	く-る ライ	□ 来る（く）	to come	đến
			□ 来月（らいげつ）	next month	tháng sau
104	車	くるま シャ	□ 車（くるま）	car	ô tô
			□ 自転車（じてんしゃ）	bicycle	xe đạp
105	黒	くろ くろ-い	□ 黒（くろ）	black	màu đen
			□ 黒い（くろ）	black	đen
106	計	ケイ	□ 計画（けいかく）	plan	kế hoạch
107	研	ケン	□ 研究（けんきゅう）	research	nghiên cứu
108	県	ケン	□ 県（けん）	prefecture	tỉnh
109	験	ケン	□ 試験（しけん）	examination	bài thi, kiểm tra
110	元	ゲン	□ 元気(な)（げんき）	lively, energetic	khoẻ mạnh
111	子	こ	□ 子ども（こ）	child	trẻ em
112	五	ゴ いつ-つ いつ	□ 五（ご）	five	năm
			□ 五つ（いつ）	five (things)	năm cái
			□ (○月)五日（がつ いつか）	the 5th of the month	mồng năm
113	午	ゴ	□ 午前（ごぜん）	AM	buổi sáng
114	語	ゴ	□ 日本語（にほんご）	Japanese (language)	tiếng Nhật
115	工	コウ	□ 工業（こうぎょう）	manufacturing industry	công nghiệp
116	校	コウ	□ 学校（がっこう）	school	trường học
117	声	こえ	□ 声（こえ）	voice	tiếng, giọng
118	心	こころ シン	□ 心（こころ）	heart, mind	trái tim
			□ 安心（あんしん）	relief	yên tâm
119	答☆	こた-える こた-え	□ 答える（こた）	to answer	đáp lại, trả lời
			□ 答え（こた）	answer, response	câu trả lời
120	事	こと ごと ジ	□ 事（こと）	thing, matter	sự việc
			□ 仕事（しごと）	work	công việc
			□ 食事（しょくじ）	meal	bữa ăn
121	菜	サイ	□ 野菜（やさい）	vegetable	rau củ
122	魚	さかな	□ 魚（さかな）	fish	con cá
123	先	さき セン	□ 先（さき）	before, preceding	trước
			□ 先生（せんせい）	teacher	giáo viên
124	寒	さむ-い	□ 寒い（さむ）	cold	lạnh

125	三	サン みっ-つ みっ-か	□ 三人（さんにん）	three people ba người
			□ 三つ（みっ）	three (things) ba cái
			□ (○月)三日（がつ みっか）	the 3rd of the month mồng ba
126	四	シ よん よっ-つ よ	□ 四（し/よん）	four bốn
			□ 四つ（よっ）	four (things) bốn cái
			□ (○月)四日（がつ よっか）	the 4th of the month mồng bốn
127	仕	シ	□ 仕事（しごと）(する)	to do work làm việc
128	市	シ	□ 市（し）	city thành phố
129	試	シ	□ 試験（しけん）	examination bài thi, kiểm tra
130	氏	シ	□ 氏名（しめい）	name họ tên
131	字	ジ	□ 漢字（かんじ）	kanji (Chinese characters) chữ Hán
132	自	ジ	□ 自分（じぶん）	oneself bản thân mình
133	下	した さ-げる さ-がる カ	□ 下（した）	down dưới
			□ (～を)下げる（さ）	to lower làm giảm xuống
			□ (～が)下がる（さ）	to go down giảm xuống
			□ 下手（へた）(な)★	unskilled kém
			□ 以下（いか）	...and below dưới
134	七	シチ なな-つ なの	□ 七（しち/なな）	seven bảy
			□ 七つ（なな）	seven (things) bảy cái
			□ (○月)七日（がつ なのか）	the 7th of the month mồng bảy
135	室	シツ	□ 教室（きょうしつ）	classroom lớp học
136	質	シツ	□ 質問（しつもん）(する)	to pose a question hỏi câu hỏi
137	品	しな ヒン	□ 品物（しなもの）	articles, goods sản phẩm
			□ 食品（しょくひん）	food items thức phẩm
138	死	し-ぬ	□ 死ぬ（し）	to die chết
139	閉	し-まる し-める ヘイ	□ (～が)閉まる（し）	to close đóng
			□ (～を)閉める（し）	to close, to shut đóng
			□ 閉店（へいてん）(する)	to close shop đóng cửa
140	社	シャ	□ 社長（しゃちょう）	company president giám đốc
141	主	シュ	□ (ご)主人（しゅじん）	husband chồng
142	週	シュウ	□ 一週間（いっしゅうかん）	one week's time một tuần
143	十	ジュウ とお	□ 十（じゅう/とお）	ten mười
			□ (○月)十日（がつ とおか）	the 10th of the month mồng mười
144	知	し-る	□ 知る（し）	to know biết
145	白	しろ しろ-い	□ 白（しろ）	white màu trắng
			□ 白い（しろ）	white màu trắng
146	真☆	シン	□ 写真（しゃしん）	photograph tấm ảnh
147	図	ズ ト	□ 地図（ちず）	map bản đồ
			□ 図書館（としょかん）	library thư viện
148	好	す-き	□ 好き（す）(な)	favorable, preferable ưa thích
149	少☆	すく-ない すこ-し	□ 少ない（すく）	few ít
			□ 少し（すこ）	a little ít
150	進	すす-む すす-める	□ (～が)進む（すす）	to proceed tiến lên
			□ (～を)進める（すす）	to progess tiến hành
151	住	す-む ジュウ	□ 住む（す）	to live, to reside sống
			□ 住所（じゅうしょ）	address địa chỉ
152	世	セ	□ 世界（せかい）	world thế giới
153	説	セツ	□ 説明（せつめい）	explanation giải thích
154	千	セン	□ 千（せん）	one thousand nghìn
155	族	ゾク	□ 家族（かぞく）	family gia đình
156	外	そと ガイ	□ 外（そと）	outside, outer ngoài
			□ 外国（がいこく）	foreign country nước ngoài
157	空☆	そら	□ 空（そら）	sky, empty bầu trời
158	田	た	□ 田中（たなか）さん	Mr./Mrs. Tanaka bạn Tanaka
159	代☆	ダイ	□ 電気代（でんきだい）	electric bill tiền điện

160	台	ダイ	□ 台所	だいどころ	kitchen	nhà bếp
			□ ～台	だい	*used to count large machines or devices (car, TV, etc.)	*Từ dùng khi đếm máy móc to như ô tô, tivi v.v...
			※車(くるま)やテレビなど機械(きかい)を数(かぞ)えるときの表現(ひょうげん)→別冊			
161	題	ダイ	□ 問題	もんだい	problem, issue	vấn đề
162	高	たか-い コウ	□ 高い	たか	high, expensive	cao
			□ 高校	こうこう	high school	trường THPT
163	正	ただ-しい ショウ	□ 正しい	ただ	correct, right	đúng, chính xác
			□ 正月	しょうがつ	New Year's	Tết, tháng Giêng
164	立☆	た-つ	□ 立つ	た	to stand	đứng
165	建	た-つ た-てる	□ (～が)建つ	た	to be erected, to be built	được xây dựng
			□ (～を)建てる	た	to erect, to build	xây dựng
166	楽☆	たの-しい ガク	□ 楽しい	たの	fun, enjoyable	vui
			□ 音楽	おんがく	music	âm nhạc
167	食	た-べる ショク	□ 食べる	た	to eat	ăn
			□ 食堂	しょくどう	cafeteria	căn tin
168	地☆	ち	□ 地図	ちず	map	bản đồ
169	小	ちい-さい こ ショウ	□ 小さい	ちい	small	nhỏ
			□ 小鳥	ことり	little bird	con chim nhỏ
			□ 小学校	しょうがっこう	elementary school	trường tiểu học
170	近	ちか-い キン	□ 近い	ちか	near	gần
			□ 近所	きんじょ	neighborhood	hàng xóm, gần nhà
171	力	ちから	□ 力	ちから	power, strength	sức mạnh
172	父	ちち	□ 父	ちち	father	bố (của mình)
			□ お父さん★	とう	respectful term for 父	bố (của người khác)
173	茶	チャ	□ お茶	ちゃ	tea	trà
174	注	チュウ	□ 注意(する)	ちゅうい	to be careful	chú ý, nhắc nhở
175	使	つか-う シ	□ 使う	つか	to use	sử dụng
			□ 大使館	たいしかん	consulate	đại sứ quán
176	月	つき ゲツ ガツ	□ 毎月	まいつき	every month	hàng tháng
			□ 今月	こんげつ	this month	tháng này
			□ 4月	がつ	April	tháng tư
177	作	つく-る サク	□ 作る	つく	to make	làm ra, tạo ra
			□ 作文	さくぶん	essay, report	viết bài
178	強	つよ-い キョウ	□ 強い	つよ	strong	mạnh
			□ 勉強(する)	べんきょう	to study	học
179	手	て シュ	□ 手	て	hand	tay
			□ 運転手	うんてんしゅ	driver	người lái xe
180	出	で-る だ-す シュツ	□ (～が)出る	で	to come out	ra
			□ (～を)出す	だ	to put out	ra
			□ 外出(する)	がいしゅつ	to go out	đi ra ngoài
181	天	テン	□ 天気	てんき	weather	thời tiết
182	転☆	テン	□ 運転(する)	うんてん	to drive	lái (xe)
183	電	デン	□ 電話	でんわ	telephone	điện thoại
184	都☆	ト ツ	□ 東京都	とうきょうと	Tokyo Metropolitan area	tỉnh Tokyo
			□ 都合	つごう	circumstances, convenience	thuận tiện
185	土☆	ド	□ 土曜日	どようび	Saturday	ngày thứ bảy
186	度	ド	□ 25度	ど	25 degrees	25 độ
			□ 二度	にど	two times	hai lần
187	堂	ドウ	□ 食堂	しょくどう	cafeteria	căn tin
188	遠☆	とお-い	□ 遠い	とお	far	xa
189	通	とお-る かよ-う ツウ	□ 道を通る	みち とお	to go/pass through	đi qua
			□ 学校に通う	がっこう かよ	to commute	đi (học, làm)
			□ 通学	つうがく	school commute	đi học
190	時	とき ジ	□ 時	とき	time	giờ
			□ 時間	じかん	period of time	thời gian
			□ 時計★	とけい	clock	đồng hồ

191	特	トク	□ 特別(な)	とくべつ	special, particular	đặc biệt
192	所	ところ ショ	□ 所	ところ	place	chỗ, nơi
			□ 住所	じゅうしょ	address	địa chỉ
193	年	とし ネン	□ 今年	ことし	this year	năm nay
			□ 来年	らいねん	next year	sang năm
194	止	と-まる と-める シ	□ (～が)止まる	と	to stop	dừng lại
			□ (～を)止める	と	to stop, to halt	làm cho dừng lại
			□ 中止(する)	ちゅうし	to cancel	huỷ bỏ
195	鳥	とり	□ 鳥	とり	bird	con chim
196	取	と-る	□ 取る	と	take, get	lấy
197	名	な メイ	□ 名前	なまえ	name	tên
			□ 有名(な)	ゆうめい	famous	nổi tiếng
198	中	なか チュウ ジュウ	□ 中	なか	middle, center	trong
			□ 中学校	ちゅうがっこう	middle school, junior high school	trường THCS
			□ 世界中	せかいじゅう	around the world	trên khắp thế giới
			□ 一日中	いちにちじゅう	all day long	suốt ngày
			□ 今日中に	きょうじゅう	all day today	trong ngày hôm nay
199	長	なが-い チョウ	□ 長い	なが	long	dài
			□ 社長	しゃちょう	company president	giám đốc
200	夏	なつ	□ 夏休み	なつやす	summer vacation	kỳ nghỉ hè
201	何	なに なん	□ 何	なに	what	gì
			□ 何時	なんじ	what time	mấy giờ
202	習☆	なら-う	□ 習う	なら	to learn	học
203	二	ニ ふた-つ	□ 二	に	two	hai
			□ 二つ	ふた	two (things)	hai cái
			□ (○月)二日★	がつ ふつか	the 2nd of the month	mồng hai
			□ (○月)二十日★	がつ はつか	the 20th of ○○	ngày hai mươi
204	肉	にく	□ 肉	にく	meat	thịt
205	西	にし セイ サイ・ザイ	□ 西	にし	west	phía tây
			□ 西洋	せいよう	the West, western	phương tây
			□ 東西	とうざい	east and west	đông tây
206	飲	の-む	□ 飲む	の	to drink	uống
207	乗	の-る ジョウ	□ 乗る	の	to ride	lên
			□ 乗車(する)	じょうしゃ	to ride (in a vehicle)	lên xe
208	場	ば ジョウ	□ 場所	ばしょ	place, location	chỗ, nơi
			□ 工場	こうじょう	factory	nhà máy
209	運☆	ウン はこ-ぶ	□ 運動(する)	うんどう	to exercise	tập thể dục
			□ 運ぶ	はこ	to carry	vận chuyển, chở
210	始☆	はじ-める はじ-まる	□ (～を)始める	はじ	to begin	bắt đầu
			□ (～が)始まる	はじ	to begin	bắt đầu
211	走	はし-る	□ 走る	はし	to run	chạy
212	働☆	はたら-く	□ 働く	はたら	to work	làm việc
213	八	ハチ やっ-つ よう	□ 八	はち	eight	tám
			□ 八つ	やっ	eight (things)	tám cái
			□ (○月)八日	がつ ようか	the 8th of the month	mồng tám
214	花	はな カ	□ 花	はな	flower	hoa
			□ 花びん	か	vase	lọ hoa
215	話	はな-す はなし ワ	□ 話す	はな	to talk	nói chuyện
			□ 話	はなし	speech, story, news	câu chuyện
			□ 電話(する)	でんわ	to call on the phone	(gọi) điện thoại
216	母	はは	□ 母	はは	mother	mẹ (của mình)
			□ お母さん★	かあ	respectful term for 母	mẹ (của người khác)
217	早☆	はや-い	□ 早い	はや	early	sớm
218	林	はやし リン	□ 林	はやし	forest	rừng
			□ 林業	りんぎょう	forestry	lâm nghiệp
219	春	はる	□ 春	はる	spring	mùa xuân

220	半	ハン	□ 半分(はんぶん)	half / nửa
			□ ～時半(じはん)	:30 / ～ giờ rưỡi
221	飯	ハン	□ ご飯(はん)	cooked rice / cơm
222	火	ひ カ	□ 火(ひ)	fire / lửa
			□ 火事(かじ)	fire (disaster) / cháy (nhà)
223	日	ひ か ニチ	□ 休みの日(やすみのひ)	day off / ngày nghỉ
			□ 三日(みっか)	the 3rd of the month / mồng ba
			□ 毎日(まいにち)	everyday / hàng ngày
224	東	ひがし トウ	□ 東(ひがし)	east / phía đông
			□ 東京(とうきょう)	Tokyo / Tokyo
225	光	ひか-る ひかり	□ 光る(ひかる)	to shine / phát sáng
			□ 光(ひかり)	light / ánh sáng
226	引☆	ひ-く	□ 引く(ひく)	to pull / kéo
227	低	ひく-い	□ 低い(ひくい)	low / thấp
228	左	ひだり	□ 左(ひだり)	left / bên trái
229	人	ひと ジン ニン	□ 人(ひと)	person / người
			□ 日本人(にほんじん)	Japanese (people) / người Nhật Bản
			□ ３人(にん) →別冊	three people / ba người
230	百	ヒャク ビャク ピャク	□ 百(ひゃく)	one hundred / trăm
			□ 三百(さんびゃく)	three hundred / ba trăm
			□ 八百(はっぴゃく)	eight hundred / tám trăm
231	病	ビョウ	□ 病気(びょうき)	sickness, illness / bệnh, ốm
232	昼	ひる チュウ	□ 昼(ひる)	daytime / trưa
			□ 昼食(ちゅうしょく)	lunch / bữa ăn trưa
233	広	ひろ-い	□ 広い(ひろい)	wide / rộng
234	不	フ	□ 不便(な)(ふべん)	inconvenient / bất tiện
235	服	フク	□ 洋服(ようふく)	western clothing / quần áo tây
236	太	ふと-い ふと-る	□ 太い(ふとい)	fat / béo, to
			□ 太る(ふとる)	to get fat / béo ra
237	冬	ふゆ	□ 冬(ふゆ)	winter / mùa đông
238	古	ふる-い	□ 古い(ふるい)	old / cũ
239	文	ブン	□ 文(ぶん)	writing, literature / câu
240	便	ベン ビン	□ 便利(な)(べんり)	useful, convenient / tiện
			□ ゆう便(びん)	postage / bưu điện
241	勉	ベン	□ 勉強(する)(べんきょう)	to study / học
242	本	ホン /ボン/ポン	□ 本(ほん)	book / sách
			□ ～本(ほん/ぼん/ぽん) ※細い(ほそい)物(もの)や長い(ながい)物(もの)を数える(かぞえる)ときの表現(ひょうげん) →別冊	counter for long cylindrical objects / cách đếm các vật nhỏ và dài
243	毎	マイ	□ 毎日(まいにち)	everyday / hàng ngày
244	前	まえ ゼン	□ 前(まえ)	before, previous / trước
			□ 午前(ごぜん)	AM / buổi sáng
245	町	まち チョウ	□ 町(まち)	town / thị trấn
			□ ～町(ちょう) ※地名(ちめい)のパターンの一つ(ひとつ)	suffix for town names / một trong những mô hình đặt địa danh
246	待	ま-つ	□ 待つ(まつ)	to wait / chờ đợi
247	回	まわ-る まわ-す カイ	□ (～が)回る(まわる)	to go around / quay
			□ (～を)回す(まわす)	to rotate, to send around / làm quay
			□ ～回(かい) →別冊	times / ～ lần
248	万	マン	□ 万(まん)	ten thousand / mười nghìn
249	右	みぎ	□ 右(みぎ)	right / bên phải
250	短	みじか-い タン	□ 短い(みじかい)	short / ngắn
			□ 短大(たんだい)	junior college / trường cao đẳng
251	水	みず スイ	□ 水(みず)	water / nước
			□ 水曜日(すいようび)	Wednesday / ngày thứ tư

252	店	みせ / テン	□ 店	みせ	store, shop	cửa hàng
			□ 店員	てんいん	store employee	nhân viên bán hàng
253	道	みち / ドウ	□ 道	みち	road, street	con đường
			□ 水道	すいどう	waterworks	nước máy
254	南	みなみ / ナン	□ 南	みなみ	south	phía nam
			□ 東南アジア	とうなん	southeast Asia	Đông Nam Á
255	耳	みみ	□ 耳	みみ	ear	tai
256	見	み-る / み-える / み-せる / ケン	□ 見る	み	to see	nhìn, xem
			□ (～が)見える	み	to be able to see	nhìn thấy
			□ (～を)見せる	み	to show	cho xem
			□ 見学	けんがく	observation	tham quan
257	民	ミン	□ 国民	こくみん	citizens	quốc dân
258	村	むら	□ 村	むら	village	làng
259	目	め	□ 目	め	eye	mắt
260	持	も-つ	□ 持つ	も	to hold, to possess	chờ đợi
261	者	もの / シャ	□ 悪者	わるもの	bad person, scoundrel	người xấu
			□ 医者	いしゃ	doctor	bác sĩ
262	物	もの / ブツ	□ 飲み物	の もの	drink, beverage	đồ uống
			□ 動物	どうぶつ	animal	động vật
263	森	もり	□ 森	もり	forest, woods	rừng
264	門	モン	□ 門	もん	gate	cổng
265	問	モン	□ 質問(する)	しつもん	to pose a question	hỏi câu hỏi
266	屋	や / オク	□ 本屋	ほんや	bookstore	tiệm sách
			□ 八百屋★	やおや	grocery store	cửa hàng bán rau
			□ 屋上	おくじょう	roof	nóc nhà
267	野	ヤ	□ 野さい	や	vegetable	rau củ
268	安	やす-い / アン	□ 安い	やす	cheap, inexpensive	rẻ
			□ 安心	あんしん	relief	yên tâm

269	休	やす-む / キュウ	□ 休む	やす	to rest	nghỉ
			□ 休日	きゅうじつ	holiday, day off	ngày nghỉ
270	山	やま / サン	□ 山	やま	mountain	núi
			□ ふじ山	さん	Mt. Fuji	núi Phú Sĩ
271	夕	ゆう	□ 夕方	ゆうがた	evening	chiều tối
272	有	ユウ	□ 有名(な)	ゆうめい	famous	nổi tiếng
273	用	ヨウ	□ 用事	ようじ	task, errand	chuyện, việc
274	洋	ヨウ	□ 洋服	ようふく	western clothing	quần áo tây
275	曜	ヨウ	□ 日曜日	にちようび	Sunday	ngày Chủ Nhật
276	読☆	よ-む	□ 読む	よ	to read	đọc
277	夜	よる / ヤ	□ 夜	よる	night	buổi tối
			□ 今夜	こんや	tonight	tối nay
278	弱	よわ-い	□ 弱い	よわ	weak	yếu, kém
279	利	リ	□ 便利(な)	べんり	useful, convenient	tiện
280	理	リ	□ 料理	りょうり	cooking	món ăn
281	旅	リョ	□ 旅行	りょこう	travel, trip	du lịch
282	料	リョウ	□ 料金	りょうきん	fee, charge	chi phí
283	六	ロク / むっ-つ / むい	□ 六	ろく	six	sáu
			□ 六つ	むっ	six (things)	sáu cái
			□ (○月)六日	がつ むいか	the 6th of the month	mồng sáu
284	分	わ-かる / ブン / フン／プン	□ 分かる	わ	to understand	biết, hiểu
			□ 自分	じぶん	oneself	bản thân mình
			□ ～分	ふん/ぷん	minutes	～phút
285	別	わか-れる / ベツ	□ 別れる	わか	to separate	chia tay
			□ 特別	とくべつ	special, particular	đặc biệt
286	私	わたくし / わたし	□ 私	わたくし	1st-person pronoun (formal)	tôi
			□ 私	わたし	1st-person pronoun	tôi
287	悪	わる-い	□ 悪い	わる	bad, evil	xấu

単語さくいん

Word index
Chỉ số từ vựng

単語……… ユニット - 課 - 番号

※あいうえお順

あ

- □ 相手 ……… 5-2-❹
- □ (〜に)合う ……… 5-2-❶
- □ 空き地 ……… 7-3-❽
- □ (〜が)空く ……… 1-1-❸
- □ (〜を)空ける ……… 1-1-❸
- □ 預かる ……… 1-1-❺
- □ 預ける ……… 1-1-❺
- □ 汗 ……… 5-1-❺
- □ 遊ぶ ……… 1-3-❽
- □ 暖かい ……… 4-1-❻
- □ 温かい ……… 4-1-❽
- □ (〜が)暖まる ……… 4-1-❻
- □ (〜が)温まる ……… 4-1-❽
- □ (〜を)暖める ……… 4-1-❻
- □ (〜を)温める ……… 4-1-❽
- □ (〜が)当たる ……… 8-5-❺
- □ 厚い ……… 6-3-❷
- □ 熱い ……… 8-1-❶
- □ 厚紙 ……… 6-3-❷
- □ 厚さ ……… 6-3-❷
- □ (〜が)集まる ……… 4-3-❷
- □ (〜を)集める ……… 4-3-❷
- □ (〜を)当てる ……… 8-5-❺
- □ 危ない ……… 2-5-❾
- □ 油 ……… 7-4-❾
- □ (〜を)表す ……… 8-1-❾
- □ 現れる ……… 1-4-❶
- □ (〜が)表れる ……… 8-1-❾
- □ 案 ……… 3-5-❷
- □ 暗記(する) ……… 5-5-❼
- □ 安全性 ……… 8-2-❺
- □ 安全(な) ……… 2-4-❾
- □ 案内(する) ……… 3-5-❷

い

- □ ２位 ……… 5-2-❺
- □ (〜を)生かす ……… 7-5-❾
- □ 怒り ……… 6-1-❽
- □ 息 ……… 8-1-❿
- □ (〜が)生きる ……… 7-5-❾
- □ 池 ……… 7-3-❸
- □ 石 ……… 7-4-❹
- □ 医師 ……… 8-1-❽
- □ 忙しい ……… 6-2-❷
- □ 痛い ……… 8-1-❸
- □ 痛む ……… 8-1-❸
- □ 位置 ……… 5-2-❺, 7-4-⓫
- □ 一番 ……… 1-2-❸
- □ 一部 ……… 3-4-❸
- □ 一流 ……… 6-1-❺
- □ 一生 ……… 7-5-❾
- □ 一泊二日 ……… 1-5-❻
- □ 一般 ……… 4-2-❿
- □ 一般的(な) ……… 4-2-❿
- □ 移動(する) ……… 9-3-❼
- □ ３日以内 ……… 3-5-❸
- □ 命 ……… 7-3-❼
- □ (〜が)要る ……… 8-4-❽
- □ 衣類 ……… 4-4-❸
- □ 祝う ……… 5-5-❻
- □ 岩 ……… 7-4-❺
- □ 飲酒運転 ……… 7-5-❹
- □ 引退(する) ……… 5-4-❾

う

- □ 植える ……… 7-2-❶
- □ 試験に受かる ……… 4-2-❾
- □ 受付 ……… 4-2-❾, 5-4-❹
- □ 受け取る ……… 4-2-❾
- □ 受ける ……… 4-2-❾
- □ 薄い ……… 6-3-❸
- □ 内側 ……… 3-5-❸
- □ 打つ ……… 6-4-❹
- □ 美しい ……… 8-4-❺
- □ (〜を)移す ……… 9-3-❼
- □ (〜が)移る ……… 9-3-❼
- □ 馬 ……… 7-4-❻
- □ 裏 ……… 7-2-⓫
- □ 裏返しになる ……… 7-2-⓫
- □ 裏返す ……… 7-2-⓫
- □ 裏側 ……… 7-2-⓫
- □ 裏面 ……… 7-2-⓫
- □ 上着 ……… 6-4-❺
- □ 運転(する) ……… 5-1-❹, 6-4-❽
- □ 運動(する) ……… 5-1-❹

え

- □ 営業(する) ……… 9-2-❽
- □ 笑顔★ ……… 6-1-❸
- □ 枝 ……… 7-2-❻
- □ 絵 ……… 8-4-❷
- □ 枝分かれ ……… 7-2-❻
- □ 絵本 ……… 8-4-❷
- □ 選ぶ ……… 5-2-❼
- □ 遠足 ……… 6-3-❻

お

□ 追いかける（お）……2-3-❼
□ 追い越す（お こ）……2-3-❼
□ 追いつく（お）……2-3-❼
□ 追う（お）……2-3-❼
□ 横断（する）（おうだん）……2-5-❺
□ 横断歩道（おうだんほどう）……2-5-❺
□ 往復（する）（おうふく）……2-2-❼
□ 大型（おおがた）……4-1-❹
□ 大型船（おおがたせん）……7-4-❸
□ 大阪府（おおさかふ）……9-3-❺
□ 大盛り（おおも）……9-2-❼
□ 大雪（おおゆき）……7-1-❼
□ 置き場（おば）……7-4-⓫
□ お客様（きゃくさま）……5-1-❿, 8-2-❼
□ 置く（お）……7-4-⓫
□ 奥（おく）……9-5-❽
□ 奥様（おくさま）……9-5-❽
□ 奥さん（おく）……9-5-❽
□ 遅れる（おく）……2-4-❻
□ 行う（おこな）……8-4-❻
□ 怒る（おこ）……6-1-❽
□ 押さえる（お）……1-3-❶
□ 押し入れ / 押入れ（お い / おし い）……1-3-❶
□ 押す（お）……1-3-❶
□ 遅い（おそ）……2-4-❻
□ お宅（たく）……3-3-❸
□ (〜が)落ちる（お）……6-5-❽
□ 夫（おっと）……9-5-❺
□ 落とし物（お もの）……6-5-❽
□ (〜を)落とす（お）……6-5-❽
□ お願い（する）（ねが）……8-2-❹
□ 覚える（おぼ）……1-4-❽
□ (〜に)お参り（する）（まい）……8-2-❸
□ お守り（まも）……7-4-❿
□ 表（おもて）……8-1-❾
□ 泳ぐ（およ）……6-4-❷
□ 折り紙（お がみ）……5-4-❷
□ 降りる（お）……6-4-❻
□ (〜を)折る（お）……5-4-❷
□ お礼（れい）……6-2-❺
□ (〜が)折れる（お）……5-4-❷
□ 音楽（おんがく）……3-3-❹
□ 温泉（おんせん）……4-1-❽
□ 温度（おんど）……4-1-❽
□ 音読み（おんよ）……1-4-❻
□ 音量（おんりょう）……3-4-❽

か

□ ペット可（か）……8-3-❽
□ ２階（かい）……3-1-❻
□ 絵画（かいが）……8-4-❷
□ 海外（かいがい）……7-1-❿
□ 開会式（かいかいしき）……5-2-❷
□ 会議（かいぎ）……9-3-❸
□ 解決（する）（かいけつ）……4-4-❻
□ 開始（する）（かいし）……5-1-❾
□ 快速（かいそく）……2-1-❷
□ 階段（かいだん）……3-1-❻
□ 快適（な）（かいてき）……2-1-❷
□ 回転（する）（かいてん）……6-4-❽
□ 解答（する）（かいとう）……4-4-❿
□ 会費（かいひ）……2-3-❻
□ (〜を)変える（か）……4-4-❹
□ 価格（かかく）……8-5-❼, 9-4-❻
□ 化学（かがく）……4-4-❺
□ 科学（かがく）……5-4-❻
□ 科学者（かがくしゃ）……5-4-❻
□ 係（かかり）……1-5-❶
□ 係員（かかりいん）……1-5-❶
□ (〜に)限る（かぎ）……4-5-❹
□ 各クラス（かく）……2-1-❽
□ 家具（かぐ）……8-3-❼
□ 各駅（かくえき）……2-1-❽
□ 各駅停車（かくえきていしゃ）……2-4-❶
□ 学園祭（がくえんさい）……8-2-❶
□ 各自（かくじ）……2-1-❽
□ 学習（する）（がくしゅう）……2-2-❾
□ 角度（かくど）……3-1-❷
□ 確認（する）（かくにん）……1-3-❻
□ 学費（がくひ）……2-3-❻
□ 学部（がくぶ）……3-4-❸
□ 学歴（がくれき）……4-4-❶
□ (〜が)欠ける（か）……5-3-❿
□ 過去（かこ）……2-1-❶
□ 数（かず）……4-5-❺
□ 〜化（する）（か）……4-4-❺
□ 風（かぜ）……7-1-❹
□ 風邪★（かぜ）……7-1-❹
□ 数える（かぞ）……4-5-❺
□ 課題（かだい）……4-4-❽
□ 片側（かたがわ）……1-5-❼
□ 形（かたち）……4-4-❾
□ 片付ける（かたづ）……1-5-❼
□ 片手（かたて）……1-5-❼
□ 片方（かたほう）……1-5-❼
□ 価値（かち）……4-5-❼, 9-4-❻
□ 課長（かちょう）……4-4-❽
□ (〜に)勝つ（か）……5-2-❸
□ 楽器（がっき）……3-3-❹, 3-4-❷
□ 学期（がっき）……4-5-❸
□ 各国（かっこく）……2-1-❽
□ 勝手（な）（かって）……5-2-❸
□ 活動（する）（かつどう）……3-1-❶
□ 活躍（する）（かつやく）……3-1-❶
□ 角（かく）……3-1-❷
□ 悲しい（かな）……6-1-❼
□ 悲しみ（かな）……6-1-❼
□ 悲しむ（かな）……6-1-❼
□ 必ず（かなら）……8-4-❼
□ 可能性（かのうせい）……8-2-❻

- ☐ 可能(な)（かのう） 8-3-❽, 8-4-❹
- ☐ 神様（かみさま） 8-2-❷
- ☐ 髪の毛（かみ け） 7-3-❹
- ☐ 紙袋（かみぶくろ） 3-4-❻
- ☐ 画面（がめん） 1-3-❷
- ☐ 科目（かもく） 5-4-❻
- ☐ 代わりに（か） 1-4-❾
- ☐ 代わる（か） 1-4-❾
- ☐ (〜が)変わる（か） 4-4-❹
- ☐ 感覚（かんかく） 6-2-❾
- ☐ 観客（かんきゃく） 1-5-❸, 5-1-❿
- ☐ 関係（かんけい） 1-5-❶, 9-4-❼
- ☐ 観光（かんこう） 1-5-❸
- ☐ 観光地（かんこうち） 7-3-❽
- ☐ 観察(する)（かんさつ） 8-3-❷
- ☐ 感じ（かん） 6-2-❾
- ☐ 感情（かんじょう） 4-3-❹, 6-2-❾
- ☐ 感じる（かん） 6-2-❾
- ☐ 関心（かんしん） 9-4-❼
- ☐ 感心(する)（かんしん） 6-2-❾
- ☐ (〜に)関する（かん） 9-4-❼
- ☐ 完成(する)（かんせい） 2-2-❺, 9-2-❸
- ☐ 岩石（がんせき） 7-4-❺
- ☐ 完全(な)（かんぜん） 2-2-❺, 2-4-❾
- ☐ 感想（かんそう） 6-2-❾, 9-5-❶
- ☐ 簡単(な)（かんたん） 4-2-❻
- ☐ 感動(する)（かんどう） 6-2-❾
- ☐ 完売（かんばい） 2-2-❺

き

- ☐ 黄色（きいろ） 7-2-❿
- ☐ 黄色い（きいろ） 7-2-❿
- ☐ 議員（ぎいん） 9-3-❸
- ☐ (〜が)消える（き） 5-3-❻
- ☐ 気温（きおん） 4-1-❽
- ☐ 機械（きかい） 1-1-❷
- ☐ 機会（きかい） 1-1-❷
- ☐ 議会（ぎかい） 9-3-❸
- ☐ 機械化(する)（きかいか） 4-4-❺
- ☐ 着替える（きが） 1-5-❾
- ☐ 期間（きかん） 4-5-❸
- ☐ 器具（きぐ） 8-3-❼
- ☐ 危険性（きけんせい） 8-2-❻
- ☐ 危険(な)（きけん） 2-5-❾
- ☐ 記号（きごう） 1-2-❹, 5-5-❼
- ☐ 記事（きじ） 5-5-❼
- ☐ 記者（きしゃ） 5-5-❼
- ☐ 技術（ぎじゅつ） 5-1-❼
- ☐ 技術者（ぎじゅつしゃ） 5-1-❼
- ☐ 期待(する)（きたい） 4-5-❸
- ☐ 汚い（きたな） 6-5-❾
- ☐ 議長（ぎちょう） 9-3-❸
- ☐ 記入(する)（きにゅう） 5-5-❼
- ☐ 記念（きねん） 6-2-❹
- ☐ 昨日★（きのう） 8-1-❷
- ☐ 希望(する)（きぼう） 3-3-❺
- ☐ (〜が)決まる（き） 6-5-❻
- ☐ (〜を)決める（き） 6-5-❻
- ☐ 着物（きもの） 6-4-❺
- ☐ 客（きゃく） 5-1-❿
- ☐ 3級（きゅう） 4-2-❷
- ☐ 救急車（きゅうきゅうしゃ） 5-3-❷
- ☐ 救出(する)（きゅうしゅつ） 5-3-❷
- ☐ 救助(する)（きゅうじょ） 6-5-❹
- ☐ 牛乳（ぎゅうにゅう） 7-5-❺
- ☐ 教育（きょういく） 6-5-❶
- ☐ 教科書（きょうかしょ） 5-4-❻
- ☐ 教師（きょうし） 8-1-❽
- ☐ 行事（ぎょうじ） 8-4-❻
- ☐ 教授（きょうじゅ） 4-2-❶
- ☐ 共通（きょうつう） 3-5-❼
- ☐ 共通点（きょうつうてん） 3-5-❼
- ☐ 京都府（きょうとふ） 9-3-❺
- ☐ 強風（きょうふう） 7-1-❹
- ☐ 1行目（ぎょうめ） 8-4-❻
- ☐ 協力(する)（きょうりょく） 5-5-❺
- ☐ 行列（ぎょうれつ） 7-5-❼, 8-4-❻
- ☐ 許可(する)（きょか） 8-3-❽
- ☐ 曲（きょく） 3-1-❸
- ☐ 曲線（きょくせん） 3-1-❸
- ☐ 着る（き） 6-4-❺
- ☐ 記録(する)（きろく） 5-5-❽
- ☐ 議論(する)（ぎろん） 9-3-❹
- ☐ 金額（きんがく） 3-3-❾
- ☐ 金庫（きんこ） 4-1-❸
- ☐ 禁止(する)（きんし） 5-3-❾
- ☐ 勤務(する)（きんむ） 8-5-❸
- ☐ 勤務地（きんむち） 8-5-❸

く

- ☐ 具合（ぐあい） 8-3-❼
- ☐ 空気（くうき） 1-1-❸
- ☐ 空港（くうこう） 1-1-❸
- ☐ 偶然（ぐうぜん） 7-1-❶
- ☐ 草（くさ） 7-2-❺
- ☐ 苦情（くじょう） 4-3-❹, 6-1-❾
- ☐ 薬（くすり） 8-1-❻
- ☐ 具体的(な)（ぐたいてき） 8-3-❼
- ☐ 果物★（くだもの） 3-2-❻
- ☐ 苦痛（くつう） 6-1-❾
- ☐ 配る（くば） 3-3-❶
- ☐ 首（くび） 9-1-❼
- ☐ 工夫(する)★（くふう） 9-5-❺
- ☐ 〜組（くみ） 1-3-❹
- ☐ 組み立てる（く た） 1-3-❹
- ☐ 組む（く） 1-3-❹
- ☐ 雲（くも） 7-1-❽
- ☐ 比べる（くら） 4-4-❼
- ☐ 苦しい（くる） 6-1-❾
- ☐ 苦しむ（くる） 6-1-❾
- ☐ 苦労(する)（くろう） 6-1-❾, 9-1-❹

□ 加える（くわ） 8-2-❺
□ 訓読み（くんよ） 1-4-❻
□ 訓練（くんれん）(する) 5-1-❷

け

□ 毛（け） 7-3-❹
□ 芸（げい） 8-4-❶
□ 経営（けいえい）(する) 9-2-❽
□ 計画案（けいかくあん） 3-5-❷
□ 警官（けいかん） 8-3-❸
□ 経験（けいけん）(する) 9-2-❶
□ 警告（けいこく）(する) 8-3-❶
□ 経済（けいざい） 9-2-❷
□ 警察（けいさつ） 8-3-❷
□ 警察官（けいさつかん） 8-3-❷
□ 警察署（けいさつしょ） 8-3-❷
□ 計算（けいさん）(する) 2-3-❺
□ 形式（けいしき） 5-2-❷
□ 芸術（げいじゅつ） 5-1-❽, 8-4-❶
□ 芸能人（げいのうじん） 8-4-❶
□ 警報（けいほう） 7-1-❷, 8-3-❶
□ 外科（げか） 5-4-❻
□ 景色（けしき）★ 7-4-❶
□ 化粧（けしょう）(する) 4-4-❺
□ (〜を)消す（け） 5-3-❻
□ 結果（けっか） 3-2-❻
□ 結局（けっきょく） 3-2-❺
□ 結局（けっきょく） 3-5-❺
□ 欠勤（けっきん）(する) 5-3-❿, 8-5-❸
□ 結婚式（けっこんしき） 5-2-❷, 9-5-❷
□ 結婚（けっこん）(する) 3-2-❺, 9-5-❷
□ 決して（けっ） 6-5-❻
□ 欠席（けっせき）(する) 5-3-❿
□ 決定（けってい）(する) 6-5-❻
□ 欠点（けってん） 2-5-❸, 5-3-❿
□ 月末（げつまつ） 7-5-❻
□ 結論（けつろん） 3-2-❺, 9-3-❹
□ 原因（げんいん） 3-2-❹
□ 現金（げんきん） 1-4-❶
□ 現在（げんざい） 1-4-❷
□ 検索（けんさく）(する) 1-1-❽
□ 検査（けんさ）(する) 1-1-❽
□ 研修（けんしゅう）(する) 1-5-❹
□ (〜が)減少（げんしょう）(する) 8-5-❽, 9-4-❸
□ 原子力（げんしりょく） 3-2-❸
□ 現代（げんだい） 1-4-❶
□ 限定（げんてい）(する) 4-5-❹
□ 券売機（けんばいき） 2-2-❷
□ 件名（けんめい） 8-3-❻
□ 原料（げんりょう） 3-2-❸
□ 減量（げんりょう）(する) 9-4-❸

こ

□ バイカル湖（こ） 7-4-❷
□ 〜個（こ） 9-2-❿
□ 濃い（こ） 6-3-❶
□ 横浜港（よこはまこう） 1-1-❹
□ 幸運（こううん）(な) 6-1-❶
□ 公園（こうえん） 3-5-❻
□ 合格（ごうかく）(する) 5-2-❶, 8-5-❻
□ 高価（こうか）(な) 9-4-❻
□ 交換（こうかん）(する) 2-2-❶, 2-5-❶
□ 高級（こうきゅう）(な) 4-2-❷
□ 公共（こうきょう） 3-5-❼
□ 工業地帯（こうぎょうちたい） 3-3-❼
□ 広告（こうこく） 8-3-❹
□ 口座（こうざ） 1-2-❼
□ (〜と)交際（こうさい）(する) 8-5-❷
□ 交差点（こうさてん） 2-5-❷
□ ３号車（ごうしゃ） 1-2-❹
□ 高速道路（こうそくどうろ） 2-1-❸
□ 紅茶（こうちゃ） 7-2-❾
□ 交通事故（こうつうじこ） 2-4-❷
□ 交通（こうつう） 2-5-❶
□ 交通費（こうつうひ） 2-3-❻
□ 行動（こうどう）(する) 8-4-❻
□ 高熱（こうねつ） 8-1-❶
□ 交番（こうばん） 1-2-❸, 2-5-❶
□ 公平（こうへい）(な) 3-5-❻, 9-1-❾
□ 公務員（こうむいん） 3-5-❻
□ 紅葉（こうよう） 7-2-❾
□ 公立（こうりつ） 3-5-❻, 9-3-❽
□ 交流（こうりゅう）(する) 2-5-❶
□ 越える（こ） 2-3-❽
□ 凍る（こお） 4-1-❼
□ 小型船（こがたせん） 7-4-❸
□ 呼吸（こきゅう）(する) 5-3-❸, 7-3-❻
□ 国際（こくさい） 8-5-❷
□ 国際的（こくさいてき）(な) 8-5-❷
□ 国内（こくない） 3-5-❸
□ 国立（こくりつ） 9-3-❽
□ 濃さ（こ） 6-3-❶
□ 個人（こじん） 9-2-❿
□ 個人的（こじんてき）(な) 9-2-❿
□ 個数（こすう） 9-2-❿
□ 個性（こせい） 9-2-❿
□ ご存じ（ぞん） 9-4-❽
□ 骨折（こっせつ）(する) 5-4-❶
□ 断る（ことわ） 2-5-❻
□ コピー機（き） 1-1-❷
□ 細かい（こま） 6-3-❹
□ 困る（こま） 2-4-❸
□ ごみ箱（ばこ） 3-4-❼
□ (〜が)込む（こ） 1-1-❻
□ 米（こめ） 7-5-❸
□ 転ぶ（ころ） 6-4-❽
□ 混雑（こんざつ）(する) 6-5-❼
□ 困難（こんなん）(な) 2-4-❸, 4-2-❺
□ 今晩（こんばん） 3-2-❼
□ 婚約（こんやく）(する) 9-5-❷

さ

□ ～才（さい） 8-4-❸
□ 再会（さいかい）(する) 3-4-❾
□ 最近（さいきん） 6-3-❾
□ 最後（さいご） 6-3-❾
□ 最高（さいこう） 6-3-❾
□ 最初（さいしょ） 5-1-❻, 6-3-❾
□ 最低（さいてい） 6-3-❾
□ 才能（さいのう） 8-4-❸
□ 再利用（さいりよう）(する) 3-4-❾
□ 酒屋（さかや） 7-5-❹
□ 盛（さか）ん(な) 9-2-❼
□ 昨日（さくじつ） 8-1-❷
□ 昨年（さくねん） 8-1-❷
□ 昨晩（さくばん） 3-2-❼
□ 昨夜（さくや） 8-1-❷
□ (お)酒（さけ） 7-5-❹
□ 差（さ）し上（あ）げる 2-5-❷
□ 座席（ざせき） 1-2-❼
□ ～冊（さつ） 1-4-❼
□ 雑音（ざつおん） 1-4-❸
□ 作曲（さっきょく）(する) 3-1-❸
□ 雑誌（ざっし） 1-4-❸
□ 砂糖（さとう） 7-4-❼
□ 砂漠（さばく） 7-4-❼
□ ～様（さま） 8-2-❼
□ 目（め）を覚（さ）ます 1-4-❽
□ (～を)冷（さ）ます 4-1-❶
□ 目（め）が覚（さ）める 1-4-❽
□ (～が)冷（さ）める 4-1-❶
□ 皿（さら） 7-3-❿
□ 再来週（さらいしゅう） 3-4-❾
□ 再来年（さらいねん） 3-4-❾
□ フランス産（さん） 9-1-❶
□ 三角（さんかく） 3-1-❷
□ 三角形（さんかくけい） 4-4-❾
□ 参加者（さんかしゃ） 8-2-❸
□ (～に)参加（さんか）(する) 8-2-❸
□ 産業（さんぎょう） 9-1-❶
□ 残業（ざんぎょう）(する) 6-2-❸
□ 参考書（さんこうしょ） 8-2-❸
□ 産地（さんち） 7-3-❽, 9-1-❶
□ 残念（ざんねん）(な) 6-2-❹
□ 散歩（さんぽ）(する) 7-1-❻

し

□ 金閣寺（きんかくじ） 8-2-❽
□ 試合（しあい） 5-2-❶
□ 幸（しあわ）せ(な) 6-1-❶
□ 司会（しかい） 5-5-❷
□ 次回（じかい） 2-1-❹
□ 資格（しかく） 4-3-❶
□ 歯科（しか） 5-4-❽
□ 資格（しかく） 8-5-❼
□ 四角（しかく）い 3-1-❷
□ 四角形（しかくけい） 4-4-❾
□ 時間帯（じかんたい） 3-3-❼
□ 時間割（じかんわり） 9-4-❷
□ 時期（じき） 4-5-❸
□ 資源（しげん） 4-3-❶
□ 事件（じけん） 8-3-❻
□ 事故（じこ） 2-4-❷
□ 時刻表（じこくひょう） 8-1-❾
□ 自己紹介（じこしょうかい） 5-5-❹
□ 時差（じさ） 2-5-❷
□ 事実（じじつ） 3-2-❶
□ 支出（ししゅつ） 2-3-❷
□ 辞書（じしょ） 4-3-❸
□ 事情（じじょう） 4-3-❹
□ 自信（じしん） 2-5-❹
□ 地震（じしん） 7-3-❽
□ 静（しず）か(な) 6-3-❽
□ ～時過（じす）ぎ 2-1-❶
□ 自然（しぜん） 7-1-❶
□ 時代（じだい） 1-4-❾
□ 下着（したぎ） 6-4-❺
□ 自宅（じたく） 3-3-❸
□ 実験（じっけん） 3-2-❶
□ 実行（じっこう）(する) 8-4-❻
□ 実際（じっさい）に 3-2-❶, 8-5-❷
□ 実（じつ）は 3-2-❶
□ 失敗（しっぱい）(する) 3-2-❷
□ 失望（しつぼう）(する) 3-3-❻
□ 実力（じつりょく） 3-2-❶
□ 失礼（しつれい）(する) 3-2-❷, 6-2-❺
□ 失礼（しつれい）(な) 3-2-❷, 6-2-❺
□ 指定券（していけん） 2-2-❸
□ 指定（してい）(する) 2-2-❸
□ 指定席（していせき） 2-2-❸
□ 支店（してん） 2-3-❷
□ 辞典（じてん） 4-3-❸
□ 自転車（じてんしゃ） 6-4-❽
□ 自動販売機（じどうはんばいき） 4-5-❻
□ 支払（しはら）い 2-3-❷
□ 支払（しはら）う 2-3-❸
□ 耳鼻科（じびか） 5-4-❼
□ 死亡（しぼう）(する) 6-2-❼
□ 島（しま） 7-4-❽
□ 島国（しまぐに） 7-4-❽
□ 地味（じみ）(な) 7-3-❽
□ 事務（じむ） 3-5-❽
□ 事務室（じむしつ） 3-5-❽
□ 事務所（じむしょ） 3-5-❽
□ 示（しめ）す 9-4-❶
□ 地面（じめん） 7-3-❽
□ 市役所（しやくしょ） 3-5-❹
□ 車庫（しゃこ） 4-1-❸
□ 写真（しゃしん） 6-3-❿
□ 写真集（しゃしんしゅう） 4-3-❷
□ 写真立（しゃしんた）て 9-3-❽
□ 車内（しゃない） 3-5-❸

□ 自由（じゆう） … 2-2-❻
□ 習慣（しゅうかん） … 6-2-❻
□ 集金（しゅうきん）(する) … 4-3-❷
□ 集合（しゅうごう）(する) … 4-3-❷
□ 就職（しゅうしょく）(する) … 8-5-❹
□ 自由席（じゆうせき） … 2-2-❻
□ 住宅（じゅうたく） … 3-3-❸
□ 集団（しゅうだん） … 4-3-❷, 5-5-❾
□ 集中（しゅうちゅう）(する) … 4-3-❷
□ 終点（しゅうてん） … 2-5-❸
□ 週末（しゅうまつ） … 7-5-❻
□ 重要（じゅうよう）(な) … 8-4-❽
□ 修理（しゅうり）(する) … 1-5-❹
□ 授業（じゅぎょう） … 4-2-❶
□ 祝日（しゅくじつ） … 5-5-❻
□ 宿題（しゅくだい） … 4-2-❽
□ 宿泊（しゅくはく）(する) … 1-5-❻, 4-2-❽
□ 受験（じゅけん）(する) … 4-2-❾
□ 手術（しゅじゅつ）(する) … 5-1-❽
□ 首相（しゅしょう） … 5-2-❹, 9-1-❼
□ 受賞（じゅしょう）(する) … 4-2-❾
□ 受信（じゅしん）(する) … 4-2-❾
□ 出勤（しゅっきん）(する) … 8-5-❸
□ 出血（しゅっけつ）(する) … 7-3-❺
□ 出席（しゅっせき）(する) … 1-2-❷
□ 出発（しゅっぱつ）(する) … 2-1-❻
□ 首都（しゅと） … 9-1-❼
□ 主婦（しゅふ） … 9-5-❻
□ 種類（しゅるい） … 4-4-❷
□ 準備（じゅんび）(する) … 4-5-❶
□ ノーベル賞（しょう） … 5-5-❿
□ 紹介（しょうかい）(する) … 5-5-❹
□ 乗客（じょうきゃく） … 5-1-❿
□ 上級（じょうきゅう） … 4-2-❷
□ 商業（しょうぎょう） … 9-1-❻
□ 賞金（しょうきん） … 5-5-❿
□ 条件（じょうけん） … 8-3-❻
□ 上司（じょうし） … 5-5-❷
□ 常識（じょうしき） … 3-1-❺
□ 乗車券（じょうしゃけん） … 2-2-❷
□ 招待券（しょうたいけん） … 2-2-❷
□ 上達（じょうたつ）(する) … 3-3-❷
□ 冗談（じょうだん） … 8-5-❻
□ 商売（しょうばい） … 9-1-❻
□ 乗馬（じょうば）(する) … 7-4-❻
□ 消費者（しょうひしゃ） … 5-3-❻
□ 消費（しょうひ）(する) … 5-3-❻
□ 消費税（しょうひぜい） … 9-3-❷
□ 賞品（しょうひん） … 5-5-❿
□ 商品（しょうひん） … 9-1-❻
□ 勝負（しょうぶ） … 5-2-❽
□ 情報（じょうほう） … 4-3-❹, 7-1-❷
□ 消防車（しょうぼうしゃ） … 5-3-❼
□ 証明書（しょうめいしょ） … 5-3-❺
□ しょう油（ゆ） … 7-4-❾
□ 初級（しょきゅう） … 4-2-❷, 5-1-❻
□ 職員（しょくいん） … 8-5-❹
□ 職業（しょくぎょう） … 8-5-❹
□ 職場（しょくば） … 8-5-❹
□ 食費（しょくひ） … 2-3-❻
□ 植物（しょくぶつ） … 7-2-❶
□ 食欲（しょくよく） … 8-1-❹
□ 助言（じょげん）(する) … 6-5-❹
□ 女性（じょせい） … 8-2-❻
□ 食器（しょっき） … 3-4-❷
□ 女優（じょゆう） … 5-5-❶
□ 書類（しょるい） … 4-4-❸
□ 調（しら）べる … 4-3-❻
□ 私立（しりつ） … 9-3-❽
□ 資料（しりょう） … 4-3-❶
□ 進学（しんがく）(する) … 4-3-❼
□ 新型（しんがた） … 4-1-❹
□ 新記録（しんきろく） … 5-5-❽
□ 信号（しんごう） … 1-2-❹, 2-5-❹
□ 新婚旅行（しんこんりょこう） … 9-5-❷
□ 診察（しんさつ）(する) … 8-3-❷
□ 神社（じんじゃ） … 8-2-❷
□ 信（しん）じる … 2-5-❹
□ 身長（しんちょう） … 9-5-❹
□ 心配（しんぱい）(する) … 3-3-❶
□ 心配（しんぱい）(な) … 3-3-❶
□ 進歩（しんぽ）(する) … 4-3-❼
□ 親友（しんゆう） … 5-3-❶
□ 信用（しんよう）(する) … 2-5-❹
□ 神話（しんわ） … 8-2-❷

す

□ 水泳（すいえい） … 6-4-❷
□ 吸（す）う … 7-3-❻
□ 数字（すうじ） … 4-5-❺
□ 数学（すうがく） … 4-5-❺
□ 数（すう）か月（げつ） … 4-5-❺
□ 数量（すうりょう） … 3-4-❽, 4-5-❺
□ 過（す）ぎる … 2-1-❶
□ 少（すく）ない … 8-5-❽
□ 少（すこ）し … 8-5-❽
□ 過（す）ごす … 2-1-❶
□ (〜が)進（すす）む … 4-3-❼
□ (〜を)進（すす）める … 4-3-❼
□ 頭痛（ずつう） … 8-1-❸
□ 頭痛薬（ずつうやく） … 8-1-❻
□ 捨（す）てる … 3-4-❶
□ 砂（すな） … 7-4-❼
□ (〜が)済（す）む … 9-2-❷
□ (〜に)座（すわ）る … 1-2-❼

せ

□ 日本製（にほんせい） … 9-1-❷
□ 性格（せいかく） … 8-2-❻, 8-5-❼
□ 正確（せいかく）(な) … 1-3-❺
□ 生活（せいかつ）(する) … 3-1-❶

□ 税金（ぜいきん）…… 9-3-❷
□ 制限（せいげん）(する) …… 4-5-❹
□ 成功（せいこう）(する) …… 9-2-❸
□ 税込（ぜいこみ） / 税込み（ぜいこ） …… 9-3-❷
□ 生産（せいさん）(する) …… 9-1-❶
□ 政治（せいじ）…… 5-4-❸, 9-3-❶
□ 政治家（せいじか）…… 9-3-❶
□ 正常（せいじょう）(な) …… 3-1-❺
□ 成人（せいじん）…… 9-2-❸
□ 製造（せいぞう）(する) …… 9-1-❸
□ 成長（せいちょう）(する) …… 9-2-❸
□ 晴天（せいてん）…… 7-1-❸
□ 正答（せいとう）…… 4-4-❿
□ 生年月日（せいねんがっぴ）…… 7-5-❾
□ 製品（せいひん）…… 9-1-❷
□ 政府（せいふ）…… 9-3-❺
□ 性別（せいべつ）…… 8-2-❻
□ 生命（せいめい）…… 7-3-❼
□ 整理（せいり）(する) …… 4-3-❺
□ 成立（せいりつ）(する) …… 9-3-❽
□ 世界的（せかいてき）(な) …… 1-5-❷
□ 席（せき）…… 1-2-❷
□ 石油（せきゆ）…… 7-4-❹
□ 石（せっ）けん …… 7-4-❹
□ 絶対（ぜったい）(に) …… 5-2-❻
□ 設備（せつび）…… 4-5-❷
□ アメリカ戦（せん）…… 5-2-❾
□ 全員（ぜんいん）…… 2-4-❾
□ 全額（ぜんがく）…… 3-3-❾
□ 選挙（せんきょ）…… 5-2-❼
□ 戦後（せんご）…… 5-2-❾
□ 選手（せんしゅ）…… 5-2-❼
□ 前進（ぜんしん）(する) …… 4-3-❼
□ 全然（ぜんぜん）…… 2-4-❾, 7-1-❶
□ 戦争（せんそう）…… 5-2-❾
□ 洗濯機（せんたくき）…… 1-1-❷
□ 全部（ぜんぶ）…… 2-4-❾, 3-4-❸
□ 専門（せんもん）…… 4-2-❼
□ 専門家（せんもんか）…… 4-2-❼
□ 線路（せんろ）…… 1-2-❺, 2-1-❺

そ

□ (～が)増加（ぞうか）(する) …… 8-2-❺, 9-4-❺
□ 草原（そうげん）…… 7-2-❺
□ 倉庫（そうこ）…… 4-1-❸
□ 送信（そうしん）(する) …… 2-5-❹
□ 早退（そうたい）(する) …… 5-4-❾, 8-1-❺
□ 相談（そうだん）(する) …… 8-5-❻, 5-2-❹
□ 早朝（そうちょう）…… 8-1-❺
□ 増量（ぞうりょう）(する) …… 9-4-❺
□ 1足（そく）…… 2-3-❶
□ 速達（そくたつ）…… 3-3-❷
□ 速度（そくど）…… 2-1-❸
□ (～が)育（そだ）つ …… 6-5-❶
□ (～を)育（そだ）てる …… 6-5-❶
□ 外側（そとがわ）…… 1-2-❻
□ (～に)備（そな）える …… 4-5-❷
□ その他（た）…… 7-3-❾
□ 存（ぞん）じ上（あ）げる …… 9-4-❽
□ 1対（たい）3 …… 5-2-❻

た

□ 第（だい）～ …… 9-2-❾
□ 第（だい）1課（か）…… 4-4-❽
□ 体育（たいいく）…… 6-5-❶
□ 第一（だいいち）(の、に) …… 9-2-❾
□ 退院（たいいん）(する) …… 5-4-❾
□ 体温（たいおん）…… 4-1-❽
□ 代金（だいきん）…… 1-4-❾
□ 代表（だいひょう）(する) …… 8-1-❾
□ 台風（たいふう）…… 7-1-❹
□ 大変（たいへん）(な) …… 4-4-❹
□ 宅配（たくはい）…… 3-3-❸
□ 確（たし）か …… 1-3-❺
□ 確（たし）かな …… 1-3-❺
□ 確（たし）かに …… 1-3-❺
□ 確（たし）かめる …… 1-3-❺
□ 足（た）し算（ざん）(する) …… 2-3-❶
□ (～を)足（た）す …… 2-3-❶
□ (～が)助（たす）かる …… 6-5-❹
□ (～を)助（たす）ける …… 6-5-❹
□ 戦（たたか）い …… 5-2-❾
□ (～と)戦（たたか）う …… 5-2-❾
□ (～が)経（た）つ …… 9-2-❶
□ (～が)立（た）つ …… 9-3-❽
□ (～を)立（た）てる …… 9-3-❽
□ 例（たと）えば …… 7-5-❽
□ 他人（たにん）…… 7-3-❾
□ 種（たね）…… 4-4-❷
□ 楽（たの）しい …… 3-3-❹
□ (～が)足（た）りる …… 2-3-❶
□ 単位（たんい）…… 4-2-❸
□ 短期（たんき）…… 4-5-❸
□ 単語（たんご）…… 4-2-❸
□ 誕生日（たんじょうび）…… 7-5-❾
□ 男性（だんせい）…… 8-2-❻
□ 団体（だんたい）…… 5-5-❾
□ 団地（だんち）…… 5-5-❾
□ 暖房（だんぼう）…… 4-1-❺
□ 段（だん）ボール …… 3-1-❼
□ 段（だん）ボール箱（ばこ）…… 3-4-❼

ち

□ 血（ち）…… 7-3-❺
□ (～と)違（ちが）う …… 3-4-❺
□ 地下鉄（ちかてつ）…… 2-1-❾
□ 地球（ちきゅう）…… 5-1-❶
□ 遅刻（ちこく）(する) …… 2-4-❻
□ 地方（ちほう）…… 7-3-❽
□ 東京着（とうきょうちゃく）…… 6-4-❺

□ 注意点 …… 2-5-❸
□ 駐車場 …… 5-3-❽
ちゅうしゃじょう
□ 駐車(する) …… 5-3-❽
ちゅうしゃ
□ 調整(する) …… 4-3-❺
ちょうせい
□ 調査(する) …… 1-1-❾, 4-3-❻
ちょうさ
□ 調子 …… 4-3-❻
ちょうし
□ 調節(する) …… 4-3-❻
ちょうせつ
□ 調味料 …… 4-3-❻
ちょうみりょう
□ 直後 …… 1-3-❼
ちょくご
□ 直接 …… 1-3-❼, 8-5-❶
ちょくせつ
□ 直線 …… 1-3-❼, 2-1-❺
ちょくせん
□ 散らかす …… 7-1-❻
□ 地理 …… 7-3-❽
ちり
□ (〜が)散る …… 7-1-❻

つ

□ 追加(する) …… 2-3-❼, 8-2-❺
□ 通過(する) …… 2-1-❶
□ 通勤(する) …… 8-5-❸
つうきん
□ 通路 …… 1-2-❺
つうろ
□ 通路側 …… 1-2-❻
つうろがわ
□ 疲れ …… 5-1-❸
つか
□ 疲れる …… 5-1-❸
つか
□ 次 …… 2-1-❹
つぎ
□ (〜が)付く …… 5-4-❹
□ (〜に)着く …… 6-4-❺
□ 造る …… 9-1-❸
つく
□ (〜を)付ける …… 5-4-❹
□ 都合 …… 9-1-❽
つごう
□ (〜を)伝える …… 6-2-❽
つた
□ (〜が)伝わる …… 6-2-❽
つた
□ 土 …… 7-2-❹
つち
□ (〜が)続く …… 6-5-❷
つづ
□ (〜を)続ける …… 6-5-❷
つづ
□ (〜に)勤める …… 8-5-❸
つと
□ 妻 …… 9-5-❼
つま
□ 冷たい …… 4-1-❶
□ 連れて行く …… 2-4-❼
□ 連れて来る …… 2-4-❼

て

□ 手足 …… 2-3-❶
□ 提案(する) …… 3-5-❷
ていあん
□ 定員 …… 2-2-❹
ていいん
□ 定価 …… 2-2-❹, 9-4-❻
ていか
□ 定休日 …… 2-2-❹
ていきゅうび
□ 停車(する) …… 2-4-❶
ていしゃ
□ 定食 …… 2-2-❹
ていしょく
□ 停留所 …… 2-4-❶
ていりゅうじょ
□ 適切(な) …… 6-3-❺
てきせつ
□ 適当(な) …… 6-3-❺, 8-5-❺
てきとう
□ 〜的(な) …… 1-5-❷
てき
□ 手首 …… 9-1-❼
てくび
□ 鉄 …… 2-1-❾
てつ
□ 手伝う★ …… 6-2-❽
てつだ
□ 鉄道 …… 2-1-❾
てつどう
□ (お)寺 …… 8-2-❽
てら
□ 清水寺 …… 8-2-❽
□ テレビ局 …… 3-5-❺
□ 90点 …… 2-5-❸
□ 電気代 …… 1-4-❾
でんきだい
□ 電球 …… 5-1-❶
でんきゅう
□ 天気予報 …… 2-2-❽, 7-1-❷
□ 転勤(する) …… 6-4-❽, 8-5-❸
□ 転校(する) …… 6-4-❽
てんこう
□ 伝言 …… 6-2-❽
でんごん
□ 天才 …… 8-4-❸
てんさい
□ 転職(する) …… 8-5-❹
てんしょく
□ 点数 …… 4-5-❺
てんすう
□ 点線 …… 2-5-❸
てんせん
□ 電池 …… 7-3-❸
でんち
□ 電波 …… 7-1-❾
でんぱ

と

□ ジャワ島 …… 7-4-❽
とう
□ 東京都 …… 9-1-❽
とうきょうと
□ 道具 …… 8-3-❼
どうぐ
□ 同時に …… 7-1-⓫
どうじ
□ 当社 …… 8-5-❺
とうしゃ
□ 当然 …… 7-1-❶, 8-5-❺
とうぜん
□ 到着(する) …… 6-4-❺
とうちゃく
□ 同量 …… 7-1-⓫
どうりょう
□ 道路 …… 1-2-❺
どうろ
□ 登録(する) …… 6-4-❶
とうろく
□ 遠い …… 6-3-❻
とお
□ 都会 …… 9-1-❽
とかい
□ 読書 …… 1-4-❻
どくしょ
□ 独身 …… 9-5-❸
どくしん
□ 独特(な) …… 9-5-❸
どくとく
□ 独立(する) …… 9-5-❸
どくりつ
□ 登山 …… 6-4-❶
とざん
□ 都市 …… 9-1-❽
とし
□ 土地 …… 7-2-❹, 7-3-❽
□ 特急券 …… 2-2-❷
□ 都道府県 …… 9-1-❽, 9-3-❺
□ (〜が)届く …… 3-3-❽
□ (〜を)届ける …… 3-3-❽
□ 飛ぶ …… 1-1-❶
□ (〜が)泊まる …… 1-5-❻
□ (〜が)停まる …… 2-4-❶
□ (〜を)泊める …… 1-5-❻
□ (〜を)停める …… 2-4-❶
□ 友達 …… 3-3-❷, 5-3-❶
□ 土曜日 …… 7-2-❹
□ 取り消す …… 5-3-❻

な

□ 無い …… 3-2-❽
□ 内科 …… 5-4-❻
ないか
□ 内部 …… 3-5-❸
ないぶ

INDEX

単語さくいん

157

□ 内容 …… 3-5-❸, 4-5-❽
□ (～を)直す …… 1-3-❼
□ (～を)治す …… 5-4-❸
□ (～が)直る …… 1-3-❼
□ (～が)治る …… 5-4-❸
□ (～を)流す …… 6-1-❺
なが
□ 中身 …… 9-5-❹
なか み
□ 流れ …… 6-1-❺
なが
□ (～が)流れる …… 6-1-❺
なが
□ 泣く …… 6-1-❻
□ (～が)鳴く …… 7-3-❷
□ (～が)亡くなる …… 6-2-❼
□ 投げる …… 6-4-❸
□ 生野菜 …… 7-5-❾
なまやさい
□ 波 …… 7-1-❾
なみ
□ 涙 …… 6-1-❹
なみだ
□ (～が)並ぶ …… 6-5-❸
□ (～を)並べる …… 6-5-❸
□ (～が)鳴る …… 7-3-❷
□ (～に)慣れる …… 6-2-❻
□ 何冊 …… 1-4-❼
なんさつ
□ 南米 …… 7-5-❸
なんべい

に

□ 苦い …… 6-1-❾
にが
□ 苦手(な) …… 6-1-❾
にが て
□ 日常 …… 3-1-❺
にちじょう
□ 日常的(な) …… 3-1-❺
にちじょうてき
□ 日記 …… 5-5-❼
にっき
□ 二泊三日 …… 1-5-❻
に はくみっか
□ 日本酒 …… 7-5-❹
に ほんしゅ
□ 荷物 …… 1-1-❼
に もつ
□ 入学式 …… 5-2-❷
にゅうがくしき
□ 入場券 …… 2-2-❷
にゅうじょうけん
□ 乳製品 …… 7-5-❺
にゅうせいひん
□ 人形 …… 4-4-❾
にんぎょう
□ 人数 …… 4-5-❺
にんずう

ね

□ 根 …… 7-2-❼
□ 値上げ(する) …… 4-5-❼
ね あ
□ 願う …… 8-2-❹
ねが
□ 値下げ(する) …… 4-5-❼
ね さ
□ 値段 …… 3-1-❼, 4-5-❼
ね だん
□ 熱 …… 8-1-❶
ねつ
□ 根っこ …… 7-2-❼
□ 熱心(な) …… 8-1-❶
ねっしん
□ 寝坊 …… 1-4-❺
ねぼう
□ 眠い …… 1-4-❹
ねむ
□ 寝る …… 1-4-❺
□ 年末 …… 7-5-❻
ねんまつ

の

□ 農家 …… 7-2-❽
のう か
□ 農業 …… 7-2-❽
のうぎょう
□ 農作業 …… 7-2-❽
のう さ ぎょう
□ 能力 …… 8-4-❹
のうりょく
□ (～を)残す …… 6-2-❸
のこ
□ 残り …… 6-2-❸
のこ
□ (～が)残る …… 6-2-❸
のこ
□ 望む …… 3-3-❻
のぞ
□ 野原 …… 3-2-❸
の はら
□ 登る …… 6-4-❶
のぼ
□ 乗り換え …… 2-2-❶
の か
□ 乗り換える …… 2-2-❶
の か

は

□ 歯 …… 5-4-❽
□ 葉 …… 7-2-❸
□ 場合 …… 5-2-❶
ば あい
□ 倍 …… 9-4-❹
ばい
□ 3倍 …… 9-4-❹
ばい
□ 灰皿 …… 7-3-❿
はいざら
□ 歯医者 …… 5-4-❽
□ 配送料 …… 3-3-❶
□ 配達(する) …… 3-3-❶
□ (～が)生える …… 7-5-❾
□ 箱 …… 3-4-❼
はこ
□ 運ぶ …… 5-1-❹
はこ
□ 橋 …… 2-5-❼
はし
□ (～が)始まる …… 5-1-❾
はじ
□ 初め …… 5-1-❻
はじ
□ 初めて …… 5-1-❻
はじ
□ (～を)始める …… 5-1-❾
はじ
□ バス停 …… 2-4-❶
てい
□ 働く …… 9-1-❺
はたら
□ 10時発 …… 2-1-❻
□ 東京発 …… 2-1-❻
□ 発見(する) …… 2-1-❻
□ 発達(する) …… 3-3-❷
□ 葉っぱ …… 7-2-❸
□ 発売(する) …… 2-1-❻
□ 発表(する) …… 2-1-❻, 8-1-❾
はっぴょう
□ 鼻 …… 5-4-❼
はな
□ 話し合う …… 5-2-❶
はな あ
□ 花束 …… 2-4-❺
はなたば
□ 場面 …… 1-3-❷
ば めん
□ 速い …… 2-1-❸
はや
□ 早い …… 8-1-❺
はや
□ 払う …… 2-3-❸
はら
□ 原っぱ …… 3-2-❸
はら
□ 晴れ …… 7-1-❸
□ 晴れる …… 7-1-❸
□ 9番 …… 1-2-❸
ばん
□ 半額 …… 3-3-❾
はんがく
□ 番組 …… 1-3-❹
ばんぐみ
□ 番号 …… 1-2-❹
ばんごう
□ 晩ご飯 …… 3-2-❼
□ 6番線 …… 2-1-❺
□ 反対 …… 5-2-❻, 9-3-❻
□ (～に)反対する …… 9-3-❻
□ 判断(する) …… 2-5-❻

□ 販売(する) …… 4-5-❻
はんばい
□ ～番目 …… 1-2-❸
ばんめ

ひ

□ 非～的(な) …… 3-1-❹
□ (～が)冷える …… 4-1-❶
□ 非科学的(な) …… 3-1-❹
□ 比較(する) …… 4-4-❼
□ 引き算(する) …… 2-3-❹
ひ ざん
□ 引く …… 2-3-❹
□ 飛行機 …… 1-1-❷
□ 飛行場 …… 1-1-❶
□ 美術 …… 5-1-❽, 8-4-❺
□ 美術館 …… 5-1-❽, 8-4-❺
□ 非常口 …… 3-1-❹
□ 非常に …… 3-1-❹
ひ じょう
□ 美人 …… 8-4-❺
び じん
□ 引っ越し …… 2-3-❽
□ 引っ越す …… 2-3-❽
□ 必要(な) …… 8-4-❼
□ ビニール袋 …… 3-4-❻
□ (～を)冷やす …… 4-1-❶
□ 表 …… 8-1-❾
ひょう
□ 費用 …… 2-3-❻
ひ よう
□ 美容 …… 4-5-❽
び よう
□ 美容院 …… 4-5-❽, 8-4-❺
び よういん
□ 表現(する) …… 1-4-❶, 8-1-❾
ひょうげん
□ 表示(する) …… 9-4-❶
ひょう じ
□ 表情 …… 8-1-❾
ひょうじょう
□ 昼寝 …… 1-4-❺
ひる ね
□ 疲労 …… 5-1-❸, 9-1-❹
ひ ろう

ふ

□ 風景 …… 7-4-❶
ふうけい
□ 風速 …… 7-1-❹
ふうそく
□ 夫婦 …… 9-5-❻
ふう ふ
□ (～が)増える …… 9-4-❺
□ ペット不可 …… 8-3-❽
□ 不可能(な) …… 8-3-❽, 8-4-❹
□ 複雑(な) …… 1-4-❸
□ 復習(する) …… 2-2-❼
ふくしゅう
□ 袋 …… 3-4-❻
ふくろ
□ (～が)吹く …… 7-1-❺
□ 不合格 …… 5-2-❶
ふ ごうかく
□ 不幸(な) …… 6-1-❶
ふ こう
□ 夫妻 …… 9-5-❼
ふ さい
□ 田中夫妻 …… 9-5-❼
た なか ふ さい
□ 不在 …… 1-4-❷
ふ ざい
□ 無事(な) …… 3-2-❽
ぶ じ
□ 田中夫人 …… 9-5-❺
た なか ふ じん
□ 婦人 …… 9-5-❻
ふ じん
□ 防ぐ …… 5-3-❼
ふせ
□ 不足(する) …… 2-3-❶
ふ そく
□ 普段 …… 2-1-❼, 3-1-❼
ふ だん
□ 部長 …… 3-4-❸
ぶ ちょう
□ 普通 …… 2-1-❼
ふ つう
□ 物価 …… 9-4-❻
ぶっか
□ 船 …… 7-4-❸
ふね
□ 部分 …… 3-4-❸
ぶ ぶん
□ 不満 …… 1-2-❶
ふ まん
□ (～を)増やす …… 9-4-❺
□ (～が)降る …… 6-4-❻
□ 文化 …… 4-4-❺
ぶん か
□ 文化祭 …… 8-2-❶
ぶん か さい
□ 文法 …… 4-2-❹
ぶんぽう
□ 文房具 …… 4-1-❺, 8-3-❼
ぶんぼう ぐ

へ

□ 平均 …… 9-1-❾
へいきん
□ 米国 …… 7-5-❸
べいこく
□ 平日 …… 9-1-❾
へいじつ
□ 平和 …… 9-1-❾
へい わ
□ 部屋★ …… 3-4-❸
へ や
□ (～を)減らす …… 9-4-❸
□ (～が)減る …… 9-4-❸
□ 変化(する) …… 4-4-❹
□ 返信(する) …… 2-5-❹
へんしん
□ 変(な) …… 4-4-❹
へん

ほ

□ 貿易 …… 9-2-❺
ぼうえき
□ 法学部 …… 4-2-❹
ほうがく ぶ
□ 方向 …… 3-1-❽
ほうこう
□ 報告(する) …… 7-1-❷, 8-3-❹
ほうこく
□ 忘年会 …… 6-2-❶
ぼうねんかい
□ 方法 …… 4-2-❹
ほうほう
□ 他 …… 7-3-❾
ほか
□ 他に …… 7-3-❾
ほか
□ 保険 …… 5-3-❹
ほ けん
□ 保険証 …… 2-5-❿, 5-3-❺
ほ けんしょう
□ 欲しい …… 8-1-❹
□ 保証(する) …… 5-3-❹
ほ しょう
□ 細い …… 6-3-❹
ほそ
□ 細長い …… 6-3-❹
ほそなが
□ 保存(する) …… 5-3-❹, 9-4-❽
ほ ぞん
□ 歩道橋 …… 2-5-❼
ほ どうきょう
□ 骨 …… 5-4-❶
ほね
□ 本当 …… 8-5-❺
ほんとう

ま

□ ～枚 …… 8-3-❺
まい
□ 枚数 …… 8-3-❺
まいすう
□ 毎晩 …… 3-2-❼
まいばん
□ (～に)参る …… 8-2-❸
まい
□ 真上 …… 6-3-❿
まうえ
□ 角を曲がる …… 3-1-❸
□ (～が)曲がる …… 3-1-❸
□ (～に)負ける …… 5-2-❽
□ (～を)曲げる …… 3-1-❸
□ (～が)混ざる …… 6-5-❼
□ (～を)混ぜる …… 6-5-❼

□ 間違い …………… 3-4-❺
□ 間違う …………… 3-4-❺
□ 間違える ………… 3-4-❺
□ 真っ暗(な) ……… 6-3-❿
□ (お)祭り ………… 8-2-❶
まつ
□ 窓 ……………… 1-2-❽
まど
□ 窓ガラス ………… 1-2-❽
まど
□ 窓側 …………… 1-2-❽
まどがわ
□ 窓口 …………… 1-2-❽
まどぐち
□ 守る …………… 7-4-❿
まも
□ 真夜中 ………… 6-3-❿
ま　よ　なか
□ 満員 …………… 1-2-❶
まんいん
□ 満室 …………… 1-2-❶
まんしつ
□ 満席 …………… 1-2-❶
まんせき
□ 満足(な / する) · 1-2-❶, 2-3-❶
まんぞく

み

□ 実 ……………… 3-2-❶
□ 右側 …………… 1-2-❻
みぎがわ
□ 未使用 ………… 7-5-❷
み　しよう
□ 湖 ……………… 7-4-❷
みずうみ
□ 水着 …………… 6-4-❺
みず　ぎ
□ 未成年 ………… 7-5-❷
み　せいねん
□ 未定 …………… 7-5-❷
み　てい
□ 緑 ……………… 7-2-❷
みどり
□ 緑色 …………… 7-2-❷
みどりいろ
□ 皆 ……………… 5-5-❸
みな
□ 皆さん ………… 5-5-❸
みな
□ 港 ……………… 1-1-❹
みなと
□ 港町 …………… 1-1-❹
みなとまち
□ (~が)身につく …… 9-5-❹
□ (~を)身につける … 9-5-❹
□ 土産 …………… 9-1-❶
みやげ
□ 未来 …………… 7-5-❷
みらい

む

□ 向かう ………… 3-1-❽
□ 迎え …………… 6-4-❼
□ 迎えに行く ……… 6-4-❼
むか　　い
□ 迎える ………… 6-4-❼
むか
□ 昔 ……………… 7-5-❶
むかし
□ 南向き ………… 3-1-❽
みなみ　む
□ 無休 …………… 3-2-❽
む きゆう
□ 向こう ………… 3-1-❽
□ 虫 ……………… 7-3-❶
むし
□ 虫歯 …………… 5-4-❽
むし　ば
□ 難しい ………… 4-2-❺
むずか
□ 息子★ ………… 8-1-❿
むすこ
□ 結ぶ …………… 3-2-❺
むす
□ 無理(する) ……… 3-2-❽
む り
□ 無理(な) ……… 3-2-❽
む り
□ 無料 …………… 3-2-❽
むりよう
め ざ　　　どけい

め

□ 目覚まし時計 …… 1-4-❽
□ 面 ……………… 1-3-❷
めん
□ 面接 …………… 8-5-❶
めんせつ
□ 面接官 ………… 8-3-❸
□ 申込書 …… 1-1-❻, 5-4-❺
□ 申し込む … 1-1-❻, 5-4-❺
もう　こ
□ 申す …………… 5-4-❺
もう
□ 毛布 …………… 7-3-❹
もう　ふ
□ (~が)燃える …… 3-4-❹
□ 目次 …………… 2-1-❹
もくじ
□ 目的 …………… 1-5-❷
もくてき

も

□ 持ち込む ……… 1-1-❻
も　こ
□ 最も …………… 6-3-❾
もっと
□ (~を)戻す ……… 1-3-❸
□ (~が)戻る ……… 1-3-❸
□ (~を)燃やす …… 3-4-❹

や

□ 焼き肉 / 焼肉 …… 6-5-❺
や　にく　やきにく
□ 野球 …………… 5-1-❶
や きゅう
□ 約1万人 ………… 2-4-❹
やく　まんにん
□ (~を)焼く ……… 6-5-❺
□ 役員 …………… 3-5-❹
やくいん
□ 約束(する) ……… 2-4-❺
やくそく
□ (~が)役に立つ …… 3-5-❹
やく　た
□ 薬品 …………… 8-1-❻
やくひん
□ 役割 …………… 3-5-❹
やくわり
□ (~が)焼ける …… 6-5-❺
□ 優しい ………… 5-5-❶
□ 易しい ………… 9-2-❻
□ 薬局 ……… 3-5-❺, 8-1-❻
やっきょく
□ 屋根 …………… 7-2-❼
や ね
□ 山登り ………… 6-4-❶
□ 辞める ………… 4-3-❸

ゆ

□ 遊園地 ………… 1-3-❽
□ 優勝(する) … 5-2-❸, 5-5-❶
ゆうしょう
□ 友人 …………… 5-3-❶
ゆうじん
□ 優先席 ………… 5-5-❶
ゆうせんせき
□ 郵送(する) ……… 3-5-❶
ゆうそう
□ 郵便 …………… 3-5-❶
ゆうびん
□ 郵便局 ………… 3-5-❺
ゆうびんきょく
□ 雪 ……………… 7-1-❼
ゆき
□ (お)湯 ………… 8-1-❼
□ 輸出(する) ……… 9-2-❹
□ 輸出入 ………… 9-2-❹
□ 輸送(する) ……… 9-2-❹
□ 輸入(する) ……… 9-2-❹
ゆ にゅう
□ 指 ……………… 2-2-❸
ゆび
□ 指輪 …………… 2-2-❸
ゆび わ

よ

□ 容易(な) …… 4-5-❽, 9-2-❻

- □ 容器 …… 3-4-❷, 4-5-❽
- □ 様子 …… 8-2-❼
- □ 預金 …… 1-1-❺
よきん
- □ 横 …… 2-5-❺
よこ
- □ 予告(する) …… 8-3-❹
よこく
- □ (～を)汚す …… 6-5-❾
よご
- □ 汚れ …… 6-5-❾
よご
- □ (～が)汚れる …… 6-5-❾
よご
- □ 予算 …… 2-2-❽, 2-3-❺
よさん
- □ 予習(する) …… 2-2-❾
よしゅう
- □ 予定 …… 2-2-❹
よてい
- □ 呼ぶ …… 5-3-❸
- □ 予防(する) …… 5-3-❼
よぼう
- □ 予約(する) …… 2-2-❽, 2-4-❹
よやく
- □ 予想(する) …… 9-5-❶
よそう
- □ 喜び …… 6-1-❷
よろこ
- □ 喜ぶ …… 6-1-❷
よろこ

ら

- □ 楽(な) …… 3-3-❹
らく

り

- □ 理解(する) …… 4-4-❻
りかい
- □ 理想 …… 9-5-❶
りそう
- □ 理想的(な) …… 9-5-❶
りそうてき
- □ 理由 …… 2-2-❻
りゆう
- □ 留学 …… 1-5-❺
りゅうがく
- □ 流行(する) …… 6-1-❺, 8-4-❼
りゅうこう
- □ 量 …… 3-4-❽
りょう
- □ 両替 …… 1-5-❾
りょうがえ
- □ 両側 …… 1-5-❽
りょうがわ
- □ 両親 …… 1-5-❽
りょうしん
- □ 両手 …… 1-5-❽
りょうて
- □ 両方 …… 1-5-❽
りょうほう

る

- □ 留守★ …… 1-5-❺, 7-4-❿
るす

- □ 留守番 …… 1-5-❺
るすばん

れ

- □ 礼 …… 6-2-❺
れい
- □ 例 …… 7-5-❽
れい
- □ 冷蔵庫 …… 4-1-❷
れいぞうこ
- □ 冷凍庫 …… 4-1-❼
れいとうこ
- □ 冷凍食品 …… 4-1-❼
れいとうしょくひん
- □ 冷房 …… 4-1-❶
れいぼう
- □ 歴史 …… 4-4-❶
れきし
- □ 列 …… 7-5-❼
れつ
- □ ２列目 …… 7-5-❼
れつめ
- □ 連休 …… 2-4-❼
れんきゅう
- □ 練習(する)d …… 5-1-❷
- □ 連絡(する) …… 2-4-❽

ろ

- □ 労働者 …… 9-1-❺
- □ 労働(する) …… 9-1-❺
- □ 録音(する) …… 5-5-❽
- □ 録画(する) …… 5-5-❽
ろくが
- □ 論文 …… 9-3-❹
ろんぶん
- □ 論理 …… 9-3-❹
ろんり
- □ 論理的(な) …… 9-3-❹
ろんりてき

わ

- □ 若い …… 6-3-❼
わか
- □ 若者 …… 6-3-❼
わかもの
- □ 忘れ物 …… 6-2-❶
わす　もの
- □ 忘れる …… 6-2-❶
わす
- □ 渡す …… 2-5-❽
わた
- □ 道を渡る …… 2-5-❽
みち　わた
- □ 和風 …… 7-1-❹
わふう
- □ 笑い …… 6-1-❸
わら
- □ 笑う …… 6-1-❸
わら
- □ ４割 …… 9-4-❷
わり
- □ 割合 …… 9-4-❷
わりあい

- □ 割引(き)(する) …… 2-3-❹, 9-4-❷
わりび
- □ (～を)割る …… 9-4-❷
- □ (～が)割れる …… 9-4-❷

漢字さくいん
かんじ

Kanji index
Chỉ số Kanji

読み　漢字…ユニット-課-番号
よ　か　ばんごう

※あいうえお順
じゅん

あ

あい　相……5-2-❹
あ-う　合……5-2-❶
あ-く　空……1-1-❸
あ-ける　空……1-1-❸
あし　足……2-3-❶
あず-かる　預……1-1-❺
あず-ける　預……1-1-❺
あせ　汗……5-1-❺
あそ-ぶ　遊……1-3-❽
あたた-かい　暖……4-1-❻
あたた-かい　温……4-1-❽
あたた-まる　暖……4-1-❻
あたた-まる　温……4-1-❽
あたた-める　暖……4-1-❻
あたた-める　温……4-1-❽
あ-たる　当……8-5-❺
あつ-い　厚……6-3-❷
あつ-い　熱……8-1-❶
あつ-まる　集……4-3-❷
あつ-める　集……4-3-❷
あ-てる　当……8-5-❺
あぶ-ない　危……2-5-❾
あぶら　油……7-4-❾
あらわ-す　表……8-1-❾
あらわ-れる　現……1-4-❶
あらわ-れる　表……8-1-❾
アン　案……3-5-❷

い

イ　位……5-2-❺
イ　易……9-2-❻
イ　移……9-3-❼
い-かす　生……7-5-❾
いか-り　怒……6-1-❽
いき　息……8-1-❿
い-きる　生……7-5-❾
イク　育……6-5-❶
い-く　行……8-4-❻
いけ　池……7-3-❸
いし　石……7-4-❹
いそが-しい　忙……6-2-❷
いた-い　痛……8-1-❸
いた-む　痛……8-1-❸
いのち　命……7-3-❼
い-る　要……8-4-❽
いわ　岩……7-4-❺
いわ-う　祝……5-5-❻
イン　因……3-2-❹

う

う-える　植……7-2-❶
う-かる　受……4-2-❾
う-ける　受……4-2-❾
うす-い　薄……6-3-❸
うち　内……3-5-❸
う-つ　打……6-4-❹
うつく-しい　美……8-4-❺
うつ-す　移……9-3-❼
うつ-る　移……9-3-❼
うま　馬……7-4-❻
う-まれる　生……7-5-❾
うみ　海……7-1-❿
うら　裏……7-2-⓫
ウン　運……5-1-❹

え

エ　絵……8-4-❷
エイ　泳……6-4-❷
エイ　営……9-2-❽
エキ　易……9-2-❻
えだ　枝……7-2-❻
え-む　笑……6-1-❸
えら-ぶ　選……5-2-❼
エン　遠……6-3-❻

お

オウ　横……2-5-❺
お-う　追……2-3-❼
おく　奥……9-5-❽
お-く　置……7-4-⓫
おく-れる　遅……2-4-❻
おこな-う　行……8-4-❻
おこ-る　怒……6-1-❽
お-さえる　押……1-3-❶
お-す　押……1-3-❶
おそ-い　遅……2-4-❻
お-ちる　落……6-5-❽
おっと　夫……9-5-❺
お-とす　落……6-5-❽
おな-じ　同……7-1-⓫
おぼ-える　覚……1-4-❽
おもて　表……8-1-❾
およ-ぐ　泳……6-4-❷
お-りる　降……6-4-❻
お-る　折……5-4-❷
お-れる　折……5-4-❷
オン　温……4-1-❽

か

カ　過……2-1-❶
カ　果……3-2-❻
カ　化……4-4-❺
カ　課……4-4-❽
カ　科……5-4-❻
カ　加……8-2-❺
カ　可……8-3-❽
カ　価……9-4-❻
カイ　快……2-1-❷
カイ　海……7-1-❿
カイ　階……3-1-❻
カイ　解……4-4-❻
カイ　絵……8-4-❷
がえ　替……1-5-❾
かえ-る　替……1-5-❾
か-える　換……2-2-❶
か-える　変……4-4-❹
が-える　替……1-5-❾
かかり　係……1-5-❶
かぎ-る　限……4-5-❹

カク　確…… 1-3-❺
カク　各…… 2-1-❽
カク　角…… 3-1-❷
カク　格…… 8-5-❼
ガク　楽…… 3-3-❹
ガク　額…… 3-3-❾
か-ける　欠…… 5-3-❿
かず　数…… 4-5-❺
かぜ　風…… 7-1-❹
かぞ-える　数…… 4-5-❺
かた　片…… 1-5-❼
カタ　型…… 4-1-❹
ガタ　型…… 4-1-❹
かたち　形…… 4-4-❾
かっ　勝…… 5-2-❸
カツ　活…… 3-1-❶
カッ-　各…… 2-1-❽
か-つ　勝…… 5-2-❸
ガッ　楽…… 3-3-❹
かど　角…… 3-1-❷
かな-しい　悲…… 6-1-❼
かな-しむ　悲…… 6-1-❼
かなら-ず　必…… 8-4-❼
かみ　神…… 8-2-❷
がわ　側…… 1-2-❻
か-わる　代…… 1-4-❾
か-わる　変…… 4-4-❹
カン　観…… 1-5-❸
カン　換…… 2-2-❶
カン　完…… 2-2-❺
カン　箇…… 4-2-❻
カン　慣…… 6-2-❻
カン　感…… 6-2-❾
カン　官…… 8-3-❸
カン　関…… 9-4-❼
ガン　岩…… 7-4-❺

き

キ　機…… 1-1-❷
キ　危…… 2-5-❾
キ　希…… 3-3-❺
キ　器…… 3-4-❷
キ　期…… 4-5-❸
キ　記…… 5-5-❼
き　黄…… 7-2-❿
ギ　技…… 5-1-❼
ぎ　着…… 6-4-❺
ギ　議…… 9-3-❸
き-える　消…… 5-3-❻
きたな-い　汚…… 6-5-❾
き-まる　決…… 6-5-❻
き-める　決…… 6-5-❻
キャク　客…… 5-1-❿
キュウ　級…… 4-2-❷
キュウ　球…… 5-1-❶
キュウ　救…… 5-3-❷
キュウ　吸…… 7-3-❻
キョウ　橋…… 2-5-❼
キョウ　共…… 3-5-❼
キョウ　協…… 5-5-❺
ギョウ　形…… 4-4-❾
ギョウ　行…… 8-4-❻
キョク　曲…… 3-1-❸
キョク　局…… 3-5-❺
き-る　着…… 6-4-❺
キン　禁…… 5-3-❾
キン　勤…… 8-5-❸

く

ク　苦…… 6-1-❾
グ　具…… 8-3-❼
クウ　空…… 1-1-❸
くさ　草…… 7-2-❺
くすり　薬…… 8-1-❻
くば-る　配…… 3-3-❶
くび　首…… 9-1-❼
くみ　組…… 1-3-❹
く-む　組…… 1-3-❹
くも　雲…… 7-1-❽
くら-べる　比…… 4-4-❼
くる-しい　苦…… 6-1-❾
くる-しむ　苦…… 6-1-❾
くわ-える　加…… 8-2-❺

け

け　毛…… 7-3-❹
ケイ　係…… 1-5-❶
ケイ　形…… 4-4-❾
ケイ　景…… 7-4-❶
ケイ　警…… 8-3-❶
ケイ　経…… 9-2-❶
ゲイ　芸…… 8-4-❶
け-す　消…… 5-3-❻
ケツ　欠…… 5-3-❿
ケツ　結…… 3-2-❺
ケツ　決…… 6-5-❻
ケツ　血…… 7-3-❺
ケッ-　欠…… 5-3-❿
ケッ-　結…… 3-2-❺
ケッ-　決…… 6-5-❻
ケン　検…… 1-1-❽
ケン　券…… 2-2-❷
ケン　険…… 2-5-❿
ケン　件…… 8-3-❻
ゲン　現…… 1-4-❶
ゲン　原…… 3-2-❸
ゲン　限…… 4-5-❹
ゲン　減…… 9-4-❸

こ

コ　故…… 2-4-❷
コ　庫…… 4-1-❸
コ　呼…… 5-3-❸
コ　湖…… 7-4-❷
コ　個…… 9-2-❿
こ-い　濃…… 6-3-❶
コウ　港…… 1-1-❹
コウ　交…… 2-5-❶
コウ　向…… 3-1-❽
コウ　公…… 3-5-❻
コウ　幸…… 6-1-❶
コウ　紅…… 7-2-❾
コウ　行…… 8-4-❻
ゴウ　号…… 1-2-❹
ゴウ　合…… 5-2-❶
こ-える　越…… 2-3-❽
こお-る　凍…… 4-1-❼
コク　告…… 8-3-❹
こ-す　越…… 2-3-❽
こた-え　答…… 4-4-❿
こた-える　答…… 4-4-❿
コツ　骨…… 5-4-❶
コッ-　骨…… 5-4-❶
ことわ-る　断…… 2-5-❻
こま-かい　細…… 6-3-❹

こま-る 困…… 2-4-❸
こ-む 込…… 1-1-❻
こめ 米…… 7-5-❸
ころ-ぶ 転…… 6-4-❽
コン 混…… 6-5-❼
コン 婚…… 9-5-❷

さ

サ 査…… 1-1-❾
サ 差…… 2-5-❷
サ 再…… 3-4-❾
サ 砂…… 7-4-❼
ザ 座…… 1-2-❼
サイ 再…… 3-4-❾
サイ 最…… 6-3-❾
サイ 祭…… 8-2-❶
サイ 才…… 8-4-❸
サイ 際…… 8-5-❷
サイ 済…… 9-2-❷
サイ 妻…… 9-5-❼
ザイ 在…… 1-4-❷
ザイ 済…… 9-2-❷
さか 酒…… 7-5-❹
さか-ん 盛…… 9-2-❼
サク 昨…… 8-1-❷
さけ 酒…… 7-5-❹
サツ 冊…… 1-4-❼
サツ 察…… 8-3-❷
ザツ 雑…… 1-4-❸
ザッ- 雑…… 1-4-❸
さま 様…… 8-2-❼
ざ-まし 覚…… 1-4-❽
さ-ます 覚…… 1-4-❽
さ-ます 冷…… 4-1-❶
さ-める 覚…… 1-4-❽
さ-める 冷…… 4-1-❶
さら 皿…… 7-3-❿
ざら 皿…… 7-3-❿
サン 算…… 2-3-❺
サン 散…… 7-1-❻
サン 参…… 8-2-❸
サン 産…… 9-1-❶
ザン 残…… 6-2-❸

し

シ 指…… 2-2-❸
シ 支…… 2-3-❷
シ 資…… 4-3-❶
シ 始…… 5-1-❾
シ 歯…… 5-4-❽
シ 司…… 5-5-❷
シ 師…… 8-1-❽
ジ 次…… 2-1-❹
ジ 辞…… 4-3-❸
ジ 治…… 5-4-❸
ジ 地…… 7-3-❽
ジ 寺…… 8-2-❽
ジ 示…… 9-4-❶
しあわ-せ 幸…… 6-1-❶
シキ 式…… 5-2-❷
しず-か 静…… 6-3-❽
シツ 失…… 3-2-❷
ジツ 実…… 3-2-❶
シッ- 失…… 3-2-❷
ジッ- 実…… 3-2-❶
しま 島…… 7-4-❽
しめ-す 示…… 9-4-❶
シュ 種…… 4-4-❷
シュ 酒…… 7-5-❹
シュ 首…… 9-1-❼
ジュ 授…… 4-2-❶
ジュ 受…… 4-2-❾
シュウ 修…… 1-5-❹
シュウ 習…… 2-2-❾
シュウ 集…… 4-3-❷
シュク 宿…… 4-2-❽
シュク 祝…… 5-5-❻
ジュツ 術…… 5-1-❽
ジュン 準…… 4-5-❶
ショ 初…… 5-1-❻
ジョ 助…… 6-5-❹
ショウ 勝…… 5-2-❸
ショウ 相…… 5-2-❹
ショウ 証…… 5-3-❺
ショウ 消…… 5-3-❻
ショウ 紹…… 5-5-❹
ショウ 賞…… 5-5-❿
ショウ 生…… 7-5-❾
ショウ 少…… 8-5-❽
ショウ 商…… 9-1-❻
ジョウ 常…… 3-1-❺
ジョウ 情…… 4-3-❹
ジョウ 生…… 7-5-❾
ショク 植…… 7-2-❶
ショク 職…… 8-5-❹
しら-べる 調…… 4-3-❻
シン 信…… 2-5-❹
シン 進…… 4-3-❼
シン 真…… 6-3-❿
シン 神…… 8-2-❷
シン 身…… 9-5-❹
ジン 神…… 8-2-❷

す

す-う 吸…… 7-3-❻
ズウ 数…… 4-5-❺
スウ 数…… 4-5-❺
す-ぎる 過…… 2-1-❶
すく-ない 少…… 8-5-❽
すこ-し 少…… 8-5-❽
す-ごす 過…… 2-1-❶
すす-む 進…… 4-3-❼
すす-める 進…… 4-3-❼
す-てる 捨…… 3-4-❶
すな 砂…… 7-4-❼
す-む 済…… 9-2-❷
すわ-る 座…… 1-2-❼

せ

セイ 整…… 4-3-❺
セイ 晴…… 7-1-❸
セイ 生…… 7-5-❾
セイ 性…… 8-2-❻
セイ 製…… 9-1-❷
セイ 成…… 9-2-❸
セイ 政…… 9-3-❶
ゼイ 税…… 9-3-❷
セキ 席…… 1-2-❷
セキ 石…… 7-4-❹
セツ 折…… 5-4-❷
セツ 接…… 8-5-❶
セッ- 石…… 7-4-❹
セン 線…… 2-1-❺
セン 専…… 4-2-❼

セン 選…… 5-2-❼
セン 戦…… 5-2-❾
セン 船…… 7-4-❸
ゼン 全…… 2-4-❾
ゼン 然…… 7-1-❶

そ

ソウ 相…… 5-2-❹
ソウ 草…… 7-2-❺
ソウ 早…… 8-1-❺
ソウ 想…… 9-5-❶
ゾウ 蔵…… 4-1-❷
ゾウ 造…… 9-1-❸
ゾウ 増…… 9-4-❺
ソク 速…… 2-1-❸
ソク 束…… 2-4-❺
ゾク 足…… 2-3-❶
ソク 足…… 2-3-❶
そだ-つ 育…… 6-5-❶
そだ-てる 育…… 6-5-❶
そな-える 備…… 4-5-❷
そら 空…… 1-1-❸
ソン 存…… 9-4-❽
ゾン 存…… 9-4-❽

た

タ 他…… 7-3-❾
タイ 帯…… 3-3-❼
タイ 対…… 5-2-❻
タイ 退…… 5-4-❾
ダイ 代…… 1-4-❾
ダイ 第…… 9-2-❾
タク 宅…… 3-3-❸
たし-か 確…… 1-3-❺
たし-かめる 確…… 1-3-❺
た-す 足…… 2-3-❶
たす-かる 助…… 6-5-❹
たす-ける 助…… 6-5-❹
たたか-う 戦…… 5-2-❾
ダチ 達…… 3-3-❷
タツ 達…… 3-3-❷
た-つ 経…… 9-2-❶
た-つ 立…… 9-3-❽
た-てる 立…… 9-3-❽
たと-えば 例…… 7-5-❽
たね 種…… 4-4-❷
たの-しい 楽…… 3-3-❹
たば 束…… 2-4-❺
た-りる 足…… 2-3-❶
タン 単…… 4-2-❸
ダン 断…… 2-5-❻
ダン 段…… 3-1-❼
ダン 暖…… 4-1-❻
ダン 団…… 5-5-❾
ダン 談…… 8-5-❻

ち

チ 遅…… 2-4-❻
チ 値…… 4-5-❼
チ 池…… 7-3-❸
ち 血…… 7-3-❺
チ 地…… 7-3-❽
チ 置…… 7-4-⓫
ちが-う 違…… 3-4-❺
チャク 着…… 6-4-❺
チュウ 駐…… 5-3-❽
チョウ 調…… 4-3-❻
チョク 直…… 1-3-❼
ち-らかす 散…… 7-1-❻
ち-る 散…… 7-1-❻

つ

ツ 都…… 9-1-❽
ツイ 追…… 2-3-❼
ツウ 痛…… 8-1-❸
つか-れる 疲…… 5-1-❸
つぎ 次…… 2-1-❹
つ-く 付…… 5-4-❹
つ-く 着…… 6-4-❺
つく-る 造…… 9-1-❸
つ-ける 付…… 5-4-❹
つた-える 伝…… 6-2-❽
つた-わる 伝…… 6-2-❽
つち 土…… 7-2-❹
つづ-く 続…… 6-5-❷
つづ-ける 続…… 6-5-❷
つと-める 勤…… 8-5-❸
つま 妻…… 9-5-❼
つめ-たい 冷…… 4-1-❶
つ-れる 連…… 2-4-❼

て

テイ 定…… 2-2-❹
テイ 停…… 2-4-❶
テキ 的…… 1-5-❷
テキ 適…… 6-3-❺
テツ 鉄…… 2-1-❾
てら 寺…… 8-2-❽
でら 寺…… 8-2-❽
テン 点…… 2-5-❸
テン 転…… 6-4-❽
デン 伝…… 6-2-❽

と

ト 登…… 6-4-❶
ト 土…… 7-2-❹
ト 都…… 9-1-❽
ド 土…… 7-2-❹
トウ 凍…… 4-1-❼
トウ 答…… 4-4-❿
トウ 登…… 6-4-❶
トウ 島…… 7-4-❽
トウ 当…… 8-5-❺
ドウ 同…… 7-1-⓫
ドウ 働…… 9-1-❺
とお-い 遠…… 6-3-❻
ドク 読…… 1-4-❻
ドク 独…… 9-5-❸
とど-く 届…… 3-3-❽
とど-ける 届…… 3-3-❽
と-ぶ 飛…… 1-1-❶
と-まる 留…… 1-5-❺
と-まる 泊…… 1-5-❻
と-まる 停…… 2-4-❶
と-める 留…… 1-5-❺
と-める 泊…… 1-5-❻
と-める 停…… 2-4-❶
とも 友…… 5-3-❶

な

ナイ 内…… 3-5-❸
な-い 無…… 3-2-❽
なお-す 直…… 1-3-❼
なお-す 治…… 5-4-❸
なお-る 直…… 1-3-❼
なお-る 治…… 5-4-❸

ながす　流……6-1-❺
なが-れる　流……6-1-❺
な-く　泣……6-1-❻
な-く　鳴……7-3-❷
な-くなる　亡……6-2-❼
な-げる　投……6-4-❸
なま　生……7-5-❾
なみ　波……7-1-❾
なみだ　涙……6-1-❹
なら-う　習……2-2-❾
なら-ぶ　並……6-5-❸
なら-べる　並……6-5-❸
な-る　鳴……7-3-❷
な-れる　慣……6-2-❻
ナン　難……4-2-❺

に

に　荷……1-1-❼
にが-い　苦……6-1-❾
ニュウ　乳……7-5-❺
ニン　認……1-3-❻

ね

ね　値……4-5-❼
ね　根……7-2-❼
ねが-い　願……8-2-❹
ねが-う　願……8-2-❹
ネツ　熱……8-1-❶
ネッ-　熱……8-1-❶
ねむ-い　眠……1-4-❹
ねむ-る　眠……1-4-❹
ね-る　寝……1-4-❺
ネン　念……6-2-❹

の

ノウ　農……7-2-❽
ノウ　能……8-4-❹
のこ-す　残……6-2-❸
のこ-る　残……6-2-❸
のぞ-む　望……3-3-❻
のぼ-る　登……6-4-❶

は

は　歯……5-4-❽
ハ　波……7-1-❾
は　葉……7-2-❸
ば　歯……5-4-❽
バ　馬……7-4-❻
パ　波……7-1-❾
ハイ　配……3-3-❶
バイ　倍……9-4-❹
パイ　配……3-3-❶
は-える　生……7-5-❾
ハク　泊……1-5-❻
パク　泊……1-5-❻
はこ　箱……3-4-❼
ばこ　箱……3-4-❼
はこ-ぶ　運……5-1-❹
はし　橋……2-5-❼
はじ-まる　始……5-1-❾
はじ-め　初……5-1-❻
はじ-める　始……5-1-❾
はたら-く　働……9-1-❺
ハツ　発……2-1-❻
パツ　発……2-1-❻
ハッ-　発……2-1-❻
はな　鼻……5-4-❼
はや-い　速……2-1-❸
はや-い　早……8-1-❺
はら　原……3-2-❸
はら-う　払……2-3-❸
は-れ　晴……7-1-❸
は-れる　晴……7-1-❸
ハン　般……4-2-❿
ハン　販……4-5-❻
ハン　反……9-3-❻
バン　番……1-2-❸
バン　晩……3-2-❼
パン　般……4-2-❿

ひ

ヒ　飛……1-1-❶
ヒ　費……2-3-❻
ヒ　非……3-1-❹
ヒ　比……4-4-❼
ヒ　疲……5-1-❸
ビ　備……4-5-❷
ビ　鼻……5-4-❼
ビ　美……8-4-❺
ひ-える　冷……4-1-❶
び-き　引……2-3-❹
ひ-く　引……2-3-❹
ヒツ　必……8-4-❼
ひ-やす　冷……4-1-❶
ヒョウ　表……8-1-❾
ピョウ　表……8-1-❾

ふ

フ　普……2-1-❼
フ　負……5-2-❽
フ　府……9-3-❺
フ　夫……9-5-❺
フ　婦……9-5-❻
ブ　無……3-2-❽
ブ　部……3-4-❸
ブ　負……5-2-❽
フウ　風……7-1-❹
フウ　夫……9-5-❺
ふ-える　増……9-4-❺
フク　復……2-2-❼
ふ-く　吹……7-1-❺
ふくろ　袋……3-4-❻
ぶくろ　袋……3-4-❻
ふせ-ぐ　防……5-3-❼
ふね　船……7-4-❸
ふ-やす　増……9-4-❺
ふ-る　降……6-4-❻

へ

ヘイ　平……9-1-❾
ベイ　米……7-5-❸
へ-らす　減……9-4-❸
へ-る　減……9-4-❸
ヘン　変……4-4-❹

ほ

ホ　保……5-3-❹
ホウ　法……4-2-❹
ホウ　報……7-1-❷
ボウ　望……3-3-❻
ボウ　房……4-1-❺
ボウ　防……5-3-❼
ボウ　忘……6-2-❶
ボウ　亡……6-2-❼
ボウ　貿……9-2-❺

ポウ　法……4-2-❹
ほか　他……7-3-❾
ほ-しい　欲……8-1-❹
ほそ-い　細……6-3-❹
ほね　骨……5-4-❶

ま

ま　真……6-3-❿
マイ　枚……8-3-❺
まい-る　参……8-2-❸
ま-がる　曲……3-1-❸
ま-ける　負……5-2-❽
ま-げる　曲……3-1-❸
ま-ざる　混……6-5-❼
ま-ぜる　混……6-5-❼
マツ　末……7-5-❻
まつ-り　祭……8-2-❶
まど　窓……1-2-❽
まも-り　守……7-4-❿
まも-る　守……7-4-❿
マン　満……1-2-❶

み

み　実……3-2-❶
ミ　未……7-5-❷
み　身……9-5-❹
みずうみ　湖……7-4-❷
みどり　緑……7-2-❷
みな　皆……5-5-❸
みなと　港……1-1-❹
ミン　眠……1-4-❹

む

ム　務……3-5-❽
ム　無……3-2-❽
む-こう　向……3-1-❽
む-かう　向……3-1-❽
むか-える　迎……6-4-❼
むかし　昔……7-5-❶
む-く　向……3-1-❽
むし　虫……7-3-❶
むずか-しい　難……4-2-❺
むす-ぶ　結……3-2-❺

め

メイ　命……7-3-❼
メン　面……1-3-❷

も

モウ　毛……7-3-❹
もう-す　申……5-4-❺
も-える　燃……3-4-❹
も-る　盛……9-2-❼
もっと-も　最……6-3-❾
もど-す　戻……1-3-❸
もど-る　戻……1-3-❸
も-やす　燃……3-4-❹

や

ヤク　約……2-4-❹
ヤク　役……3-5-❹
ヤク　薬……8-1-❻
や-く　焼……6-5-❺
や-ける　焼……6-5-❺
やさ-しい　優……5-5-❶
やさ-しい　易……9-2-❻
ヤッ-　薬……8-1-❻
や-める　辞……4-3-❸

ゆ

ゆ　湯……8-1-❼
ユ　油……7-4-❾
ユ　輸……9-2-❹
ユウ　遊……1-3-❽
ユウ　由……2-2-❻
ユウ　郵……3-5-❶
ユウ　友……5-3-❶
ユウ　優……5-5-❶
ゆき　雪……7-1-❼
ゆび　指……2-2-❸

よ

ヨ　預……1-1-❺
ヨ　予……2-2-❽
ヨウ　容……4-5-❽
ヨウ　様……8-2-❼
ヨウ　要……8-4-❽
ヨク　欲……8-1-❹
よこ　横……2-5-❺
よご-す　汚……6-5-❾
よご-れる　汚……6-5-❾
よ-ぶ　呼……5-3-❸
よ-み　読……1-4-❻
よ-む　読……1-4-❻
よろこ-ぶ　喜……6-1-❷

ら

ラク　絡……2-4-❽
ラク　楽……3-3-❹

り

リツ　立……9-3-❽
リュウ　流……6-1-❺
リュウ　留……1-5-❺
リョウ　両……1-5-❽
リョウ　量……3-4-❽

る

ル　留……1-5-❺
ルイ　類……4-4-❸

れ

レイ　冷……4-1-❶
レイ　礼……6-2-❺
レイ　例……7-5-❽
レキ　歴……4-4-❶
レツ　列……7-5-❼
レン　連……2-4-❼
レン　練……5-1-❷

ろ

ロ　路……1-2-❺
ロウ　労……9-1-❹
ロク　録……5-5-❽
ロン　論……9-3-❹

わ

わか-い　若……6-3-❼
わす-れる　忘……6-2-❶
わた-す　渡……2-5-❽
わた-る　渡……2-5-❽
わら-う　笑……6-1-❸
わり　割……9-4-❷
わ-る　割……9-4-❷

● 著者

清水 知子（しみず ともこ）（横浜国立大学・東京農業大学非常勤講師）
大場 理恵子（おおば りえこ）（法政大学大学院・東京農業大学非常勤講師）

レイアウト・DTP	オッコの木スタジオ
カバーデザイン	滝デザイン事務所
本文イラスト	はやし・ひろ／杉本千恵美
翻訳	Bret Mayer ／ Nguyen Van Anh ／近藤美佳
編集協力	黒岩しづ可／高橋尚子

本書へのご意見・ご感想は下記 URL までお寄せください。
http://www.jresearch.co.jp/contact/

日本語能力試験問題集 N３漢字スピードマスター

平成 30 年（2018 年） 4 月 10 日 初版第 1 刷発行

著　　者　清水知子・大場理恵子
発 行 人　福田富与
発 行 所　有限会社Ｊリサーチ出版
〒 166-0002 東京都杉並区高円寺北 2-29-14-705
電　　話　03(6808)8801（代） FAX 03(5364)5310
編 集 部　03(6808)8806
http://www.jresearch.co.jp
twitter 公式アカウント @ Jresearch_
https://twitter.com/Jresearch_
印 刷 所　中央精版印刷株式会社

ISBN 978-4-86392-379-9

別冊
べっさつ
Supplementary Text
Cuốn Khác

問題の答えと訳
もんだい こた やく
Answer and Translation
Phần trả lời và phần dịch của các bài tập

UNIT 1

1 .... (p.11)

ドリルA ❶b ❷b ❸a ❹b ❺b
ドリルB ❶a ❷c ❸a ❹c ❺a
ドリルC ❶a もうしこむ ❷b とんで ❸a あずかって ❹a もうしこみしょ ❺b きかい

2 .... (p.13)

ドリルA ❶a ❷a ❸b ❹a ❺a
ドリルB ❶b ❷c ❸c ❹a ❺c
ドリルC ❶b こうざ ❷a つうろ ❸b ふまん ❹b きごう ❺a まどぐち

3 .... (p.15)

ドリルA ❶a ❷a ❸b ❹b ❺a
ドリルB ❶a ❷c ❸a ❹b ❺b
ドリルC ❶a かくにん ❷b ばめん ❸b がめん ❹b なおって ❺b もどして

4 .... (p.17)

ドリルA ❶a ❷a ❸a ❹b ❺a
ドリルB ❶c ❷b ❸a ❹b ❺a
ドリルC ❶b ねぼう ❷b なんさつ ❸b ふざい ❹a あらわれた ❺a さめ

5 .... (p.19)

ドリルA ❶a ❷a ❸a ❹a ❺b
ドリルB ❶b ❷c ❸a ❹b ❺c
ドリルC ❶a しゅうり ❷a きがえ ❸b りょうほう ❹b かたて ❺a とめ

まとめ問題A .... (p.20-21)

問題1 [1]4 [2]1 [3]4 [4]4 [5]2 [6]1 [7]3
問題2 [1]4 [2]3 [3]4 [4]1 [5]3 [6]2 [7]1
問題3 [1]2 [2]4 [3]2
問題4 [1]2 [2]1 [3]1

まとめ問題B .... (p.22)

〈Mario's writing〉
I bumped into an old Japanese language school classmate, Lisa, at the airport. I was surprised to hear she was taking the same flight. The plane was full, but I was able to sit next to Lisa and talk about many things with her. I came to Japan as a foreign exchange student, but Lisa came for work. First, she's going to start training, and if that goes well, she said she'll have the chance to become an employee of a Japanese company.
I played with the seat monitor, then did some reading, which made me sleepy, so I took a little nap. Once I arrived in Tokyo, I exchanged money for yen. I hope I get to do some sightseeing with Lisa in Japan.

〈Đoạn văn của Mario〉
Tôi tình cờ gặp Lisa bạn từng học cùng trường tiếng Nhật trước kia ở sân bay. Bất ngờ khi bieets cô ấy cũng đi cùng máy bay. Máy bay kín chỗ nhưng tôi được ngồi cạnh Lisa và nói rất nhiều chuyện. Tôi đến Nhật để du học còn Lisa nghe nói đến Nhật để làm việc. Cô ấy nói trước tiên là thực tập, nếu làm tốt thì có cơ hội trở thành nhân viên công ty mẹ ở Nhật.
Trong khi ngồi chơi bằng màn hình gắn ở ghế ngồi, hay đọc sách tôi thấy buồn ngủ nên đã ngủ một chút. Đến Tokyo, tôi đổi tiền sang yên Nhật. Nếu có thể đi du lịch cùng Lisa ở Nhật thì tốt biết mấy.

問1 ① くうこう ② ひこうき ③ まんせき ④ すわれて ⑤ りゅうがく ⑥ もくてき ⑦ けんしゅう ⑧ ざせき ⑨ がめん ⑩ あそんだ ⑪ どくしょ ⑫ ねむく ⑬ ねた ⑭ りょうがえ ⑮ かんこう

問2 d→a→c→b

UNIT 2

1 .... (p.25)

ドリルA ❶b ❷a ❸a ❹a ❺a
ドリルB ❶a ❷b ❸a ❹b ❺a
ドリルC ❶b しゅっぱつ ❷a かいそく ❸a つうか ❹a にばんせん ❺b もくじ

2 ………………………………………… (p.27)

ドリルA ❶a ❷b ❸a ❹b ❺a

ドリルB ❶c ❷a ❸a ❹a ❺b

ドリルC ❶a ていか ❷b じゆう
❸a しょうたいけん ❹a よしゅう
❺a ていきゅう

3 ………………………………………… (p.29)

ドリルA ❶a ❷b ❸b ❹b ❺b

ドリルB ❶c ❷b ❸c ❹a ❺c

ドリルC ❶a ついか ❷a ひきざん
❸a しはらい ❹a おいかけ
❺b たして

4 ………………………………………… (p.31)

ドリルA ❶b ❷a ❸b ❹b ❺a

ドリルB ❶c ❷a ❸b ❹b ❺a

ドリルC ❶a つれて ❷a ちこく ❸a じこ
❹b かんぜん ❺a よやく

5 ………………………………………… (p.33)

ドリルA ❶a ❷b ❸b ❹b ❺b

ドリルB ❶c ❷b ❸c ❹b ❺c

ドリルC ❶a じさ ❷b じしん ❸a しゅうてん
❹b しんよう ❺b わたして

まとめ問題A ………………………… (p.34-35)

問題1 [1] 2 [2] 1 [3] 2 [4] 1 [5] 3
[6] 4 [7] 2

問題2 [1] 3 [2] 3 [3] 4 [4] 1 [5] 2
[6] 4 [7] 2

問題3 [1] 2 [2] 3 [3] 3

問題4 [1] 4 [2] 1 [3] 4

まとめ問題B ………………………… (p.36)

〈Mario's writing〉

I had some consecutive days off and took a bit of a far trip with Lisa. Stopping at every station would take up time, so first, we rode the rapid train, and then switched to the express train at a bigger station. The reserved seats on the express were sold out, so we went non-reserved. We paid for our ticket fare on a credit card. The express we rode got delayed midway, which got our worried, but we were able to meet our friend as planned and give him the cookies I promised. Our friend drove skillfully around some dangerous-looking mountain roads and took us all over in the car.

〈Đoạn văn của Mario〉

Đợt nghỉ dài tôi đã đi chơi xa cùng với Lisa. Đi bằng tàu dừng các ga sẽ mất thời gian nên chúng tôi lên tàu nhanh sau đó đổi sang tàu cao tốc ở ga lớn. Tàu cao tốc hết vé chỉ định chỗ ngồi nên chúng tôi phải mua vé ngồi tự do. Tiền vé được trả bằng thẻ. Tàu cao tốc giữa đường bị chậm nên chúng tôi hơi lo nhưng cuối cùng cũng gặp được bạn như dự đinh, tặng cho bạn quà đã hứa và bánh. Bạn tôi lái xe rất giỏi dù đường núi nhìn nguy hiểm và đưa chúng tôi đi chơi khắp nơi bằng ô tô.

問1 ① れんきゅう ② かくえきていしゃ
③ かいそく ④ とっきゅう ⑤ のりかえた
⑥ していけん ⑦ じゆうせき
⑧ りょうきん ⑨ はらった ⑩ おくれて
⑪ よてい ⑫ やくそく ⑬ わたす
⑭ あぶなく ⑮ つれていって

問2 a × b ○ c × d ×

UNIT 3

1 ………………………………………… (p.39)

ドリルA ❶b ❷a ❸b ❹b ❺b

ドリルB ❶c ❷b ❸b ❹c ❺a

ドリルC ❶a かつどう ❷a ひじょうぐち
❸b せいじょう ❹a かいだん
❺a ほうこう

2 ………………………………………… (p.41)

ドリルA ❶b ❷a ❸b ❹a ❺a

ドリルB ❶a ❷b ❸c ❹b ❺a

ドリルC ❶a げんりょう ❷a しつれい
❸b けっか ❹b じっさい ❺a むり

3 ………………………………………… (p.43)

ドリルA ❶a ❷b ❸b ❹a ❺b

ドリルB ❶c ❷b ❸c ❹a ❺c

ドリルC ❶a じょうたつ ❷a じゅうたく
❸a ぜんがく ❹b はいそうりょう
❺a とどいた

4 ………………………………………… (p.45)

ドリルA ❶b ❷b ❸b ❹a ❺a

ドリルB ❶c ❷c ❸a ❹b ❺a

ドリルC ❶a りょう ❷b さいかい
❸b いちぶ ❹a へや ❺a ちがって

5 ………………………………………… (p.47)

ドリルA ❶b ❷a ❸a ❹b ❺a

ドリルB ❶b ❷c ❸b ❹c ❺a

ドリルC ❶a うちがわ ❷a こうきょう
❸b いない ❹a ていあん
❺b やくいん

まとめ問題 A ………………………… (p.48-49)

問題1 1 1　2 3　3 3　4 1　5 4
6 2　7 2

問題2 1 4　2 3　3 2　4 1　5 3
6 4　7 2

問題3 1 2　2 3　3 4

問題4 1 3　2 2　3 1

まとめ問題 B ………………………… (p.50)

〈Mario's writing〉

I went to Lisa's apartment. It was a brightly-lit southward-facing apartment. It's close to city hall and the research center, which I bet makes life easy for her. For lunch, we ordered some delivery pizza, which was having a half-price sale. The delivery person delivered our pizza on motorbike right at our desired time. There was a lot of garbage afterwards, so Lisa and I put in in a plastic bag. Lisa doesn't throw out cardboard and says she can use it for something else. After lunch, we went to the post office together.

〈Đoạn văn của Mario〉

Tôi đến khu chung cư của Lisa. Căn phòng hướng Nam, rất sáng sủa. Lại gần ủy ban thành phố, trung tâm nghiên cứu nên rất tiện cho sinh hoạt. Chúng tôi đặt bánh pizza phát đến nhà đang có khuyến mãi giảm giá một nửa cho bữa trưa. Nhân viên phát pizza đến đúng giờ đã đặt. Có nhiều rác nên tôi cùng Lisa đã cho rác vào túi nilon. Nghe nói Lisa không vứt hộp bìa cac-tong mà để tái sử dụng vào việc khác. Sau bữa trưa chúng tôi cùng nhau ra bưu điện.

問1 ①みなみむき　②しやくしょ　③せいかつ
④はんがく　⑤たくはい　⑥ちゅうもん
⑦きぼう　⑧はいたついん　⑨とどけ
⑩ふくろ　⑪だん　⑫はこ　⑬すて
⑭さいりよう　⑮ゆうびんきょく

問2 a○　b○　c×　d×

UNIT 4

1 ………………………… (p.53)

ドリルA ❶b　❷b　❸b　❹a　❺a

ドリルB ❶a　❷a　❸b　❹b　❺c

ドリルC ❶a あたたかい　❷b ひやし
❸a れいとう　❹a さめ　❺a あたため

2 ………………………… (p.55)

ドリルA ❶a　❷a　❸b　❹b　❺a

ドリルB ❶c　❷c　❸b　❹a　❺c

ドリルC ❶b しゅくはく　❷b こうきゅう
❸b たんい　❹a こんなん
❺a きょうじゅ

3 ………………………… (p.57)

ドリルA ❶b　❷b　❸a　❹a　❺b

ドリルB ❶c　❷b　❸c　❹a　❺c

ドリルC ❶b ちょうみりょう　❷a しんがく
❸a ちょうさ　❹a すすんで
❺a あつまって

4 ………………………… (p.59)

ドリルA ❶a　❷b　❸a　❹a　❺b

ドリルB ❶c　❷b　❸a　❹c　❺b

ドリルC ❶a にんぎょう　❷b がくれき
❸a さんかくけい / さんかっけい
❹b りかい　❺b かえる

5 ………………………… (p.61)

ドリルA ❶b　❷a　❸b　❹a　❺a

ドリルB ❶c　❷b　❸a　❹a　❺a

ドリルC ❶a げんてい　❷a ないよう
❸a すうじ　❹a かち　❺b にんずう

まとめ問題 A ………………………… (p.62-63)

問題1 1 3　2 2　3 4　4 4　5 2
6 4　7 3

問題2 1 1　2 3　3 4　4 4　5 1
6 3　7 4

問題3 1 2　2 4　3 1

問題4 1 4　2 1　3 3

まとめ問題 B ………………………… (p.64)

〈Lisa's writing〉

The foreign exchange student center where Mario lives has a heater, so it's warm even in the winter. It even has a refrigerator and washing machine–well equipped like my apartment.

Mario seems to be working hard at his specialized classes and Japanese language study. He said he's gathering and comparing a variety of documents in order to write a report. The content he explained to me was general and easy to understand.

Mario and I bought and ate limited-time special cake from a shop near the foreign exchange student center. I was surprised how delicious it was!

〈Đoạn văn của Lisa〉

Ở kí túc xá lưu học sinh Mario đang ở có máy sưởi nên mùa đông cũng vẫn ấm. Có sẵn cả tủ lạnh, máy giặt, thiết bị đầy đủ bằng chung cư tôi đang ở. Mario rất cố gắng học cả giờ chuyên môn lẫn giờ tiếng Nhật. Cậu ấy bảo phải thu thập nhiều loại tài liệu, so sánh để viết báo cáo. Nội dung cậu ấy nói khá phổ biến nên dễ hiểu.

Chúng tôi ăn bánh bán có giới hạn mua ở cửa tiệm gần kí túc xá ăn thì giật mình vì rất ngon.

問1 ①だんぼう　②あたたかい　③れいぞうこ
④せつび　⑤せんもん　⑥じゅぎょう
⑦しゅるい　⑧しりょう　⑨あつめて
⑩くらべて　⑪ないよう　⑫いっぱんてき
⑬りかい　⑭きんじょ　⑮きかんげんてい

問2 a×　b○　c×

UNIT 5

1 .... (p.67)

ドリルA ❶b ❷b ❸b ❹b ❺a

ドリルB ❶c ❷b ❸a ❹a ❺b

ドリルC ❶a うんどう ❷b はじめて
❸b びじゅつ ❹a ちきゅう
❺b はじめ

2 .... (p.69)

ドリルA ❶a ❷b ❸b ❹b ❺a

ドリルB ❶c ❷a ❸c ❹b ❺c

ドリルC ❶a そうだん ❷b ごうかく
❸b はんたい ❹b まけた ❺b しあい

3 .... (p.71)

ドリルA ❶b ❷a ❸b ❹b ❺b

ドリルB ❶c ❷a ❸c ❹c ❺a

ドリルC ❶b とりけす ❷a よぼう
❸a ほけんしょう ❹a しょうぼうしゃ
❺b けっせき

4 .... (p.73)

ドリルA ❶b ❷b ❸a ❹a ❺a

ドリルB ❶b ❷c ❸a ❹c ❺a

ドリルC ❶a うけつけ ❷b もうしこみしょ
❸a むしば ❹a おれて ❺b たいいん

5 .... (p.75)

ドリルA ❶b ❷b ❸a ❹b ❺a

ドリルB ❶b ❷c ❸a ❹b ❺c

ドリルC ❶a きょうりょく ❷b きにゅう
❸a ゆうしょうした ❹a きごう
❺b しんきろく

まとめ問題A .... (p.76-77)

問題1 [1] 2 [2] 1 [3] 4 [4] 1 [5] 2
[6] 2 [7] 3

問題2 [1] 4 [2] 4 [3] 2 [4] 2 [5] 3
[6] 3 [7] 3

問題3 [1] 2 [2] 4 [3] 1

問題4 [1] 1 [2] 1 [3] 3

まとめ問題B .... (p.78)

〈Mario's writing〉

Baseball is fun. I was happy to be selected as a player for the next match, but when I was going home to practice, I crashed into a motorbike and had to be transported to the hospital in an ambulance. I broke my leg–it was my first time admitted to the hospital. While I was in the hospital, I kept thinking about how I could assist the team until my injury healed. That's why, once I got discharged from the hospital, I've been the person in charge of record-keeping for practice. Yesterday, I had a dream our team won the tournament. I want to do my best to make sure that happens for real.

〈Đoạn văn của Mario〉

Bóng chày rất thú vị. Đang vui mừng vì cuối cùng cũng được chọn vào thi đấu thì trên đường luyện tập về tôi va phải xe máy và được xe cấp cứu đưa đến bệnh viện. Tôi bị gãy chân và lần đầu tiên phải nhập viện. Trong khi nhập viện, tôi nghĩ làm thế nào để hỗ trợ cho đội cho đến khi khỏi vết thương. Vì vậy sau khi ra viện tôi làm nhiệm vụ ghi lịch tập luyện. Hôm qua tôi mơ thấy đội mình vô địch. Tôi sẽ tiếp tục cố gắng để giấc mơ đó thành hiện thực.

問1 ①やきゅう ②しあい ③せんしゅ
④えらばれて ⑤れんしゅう
⑥きゅうきゅうしゃ ⑦はこばれた
⑧こっせつ ⑨はじめて ⑩にゅういん
⑪なおる ⑫きょうりょく ⑬たいいん
⑭きろく ⑮ゆうしょう

問2 c

UNIT 6

1 .... (p.81)

ドリルA ❶b ❷b ❸b ❹a ❺b

ドリルB ❶b ❷a ❸b ❹a ❺c

ドリルC ❶b くじょう ❷a かなしんだ
❸b にがてな ❹a りゅうこうして
❺b なみだ

2 .... (p.83)

ドリルA ❶a ❷b ❸b ❹a ❺a

ドリルB ❶b ❷c ❸c ❹a ❺a

ドリルC ❶a しつれい ❷b きねん
❸a わすれもの ❹a かんどう
❺a のこして

3 .... (p.85)

ドリルA ❶b ❷b ❸a ❹b ❺b

ドリルB ❶c ❷b ❸c ❹a ❺c

ドリルC ❶a こまかく ❷a さいこうに
❸a えんそく ❹b さいしょ
❺b てきとうな

4 .... (p.87)

ドリルA ❶b ❷a ❸b ❹b ❺b

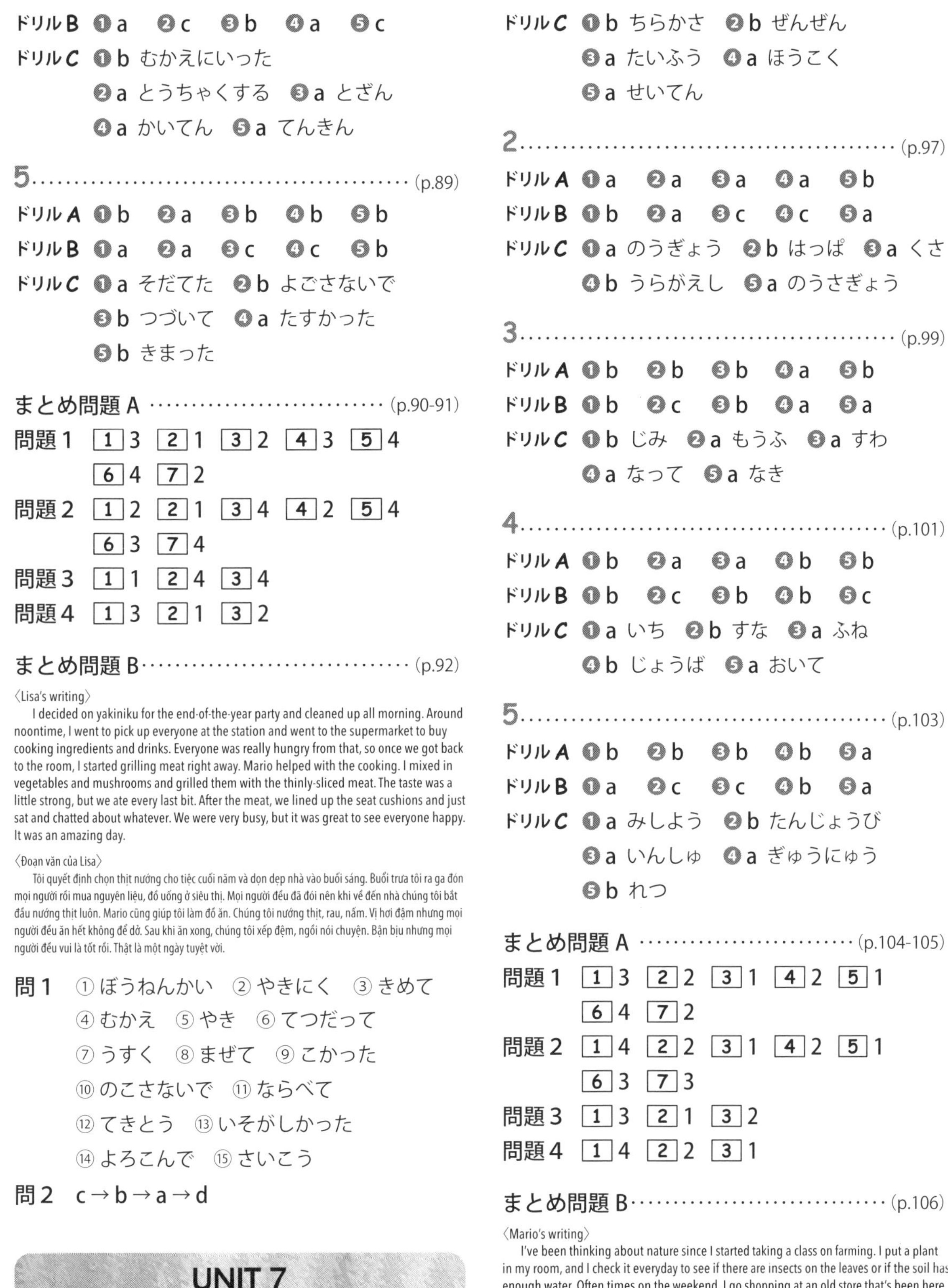

ドリルB ❶a　❷c　❸b　❹a　❺c

ドリルC ❶b むかえにいった
❷a とうちゃくする　❸a とざん
❹a かいてん　❺a てんきん

5 ………………………………………… (p.89)

ドリルA ❶b　❷a　❸b　❹b　❺b

ドリルB ❶a　❷a　❸c　❹c　❺b

ドリルC ❶a そだてた　❷b よごさないで
❸b つづいて　❹a たすかった
❺b きまった

まとめ問題A ……………………… (p.90-91)

問題1 [1] 3　[2] 1　[3] 2　[4] 3　[5] 4
[6] 4　[7] 2

問題2 [1] 2　[2] 1　[3] 4　[4] 2　[5] 4
[6] 3　[7] 4

問題3 [1] 1　[2] 4　[3] 4

問題4 [1] 3　[2] 1　[3] 2

まとめ問題B ……………………………… (p.92)

〈Lisa's writing〉

I decided on yakiniku for the end-of-the-year party and cleaned up all morning. Around noontime, I went to pick up everyone at the station and went to the supermarket to buy cooking ingredients and drinks. Everyone was really hungry from that, so once we got back to the room, I started grilling meat right away. Mario helped with the cooking. I mixed in vegetables and mushrooms and grilled them with the thinly-sliced meat. The taste was a little strong, but we ate every last bit. After the meat, we lined up the seat cushions and just sat and chatted about whatever. We were very busy, but it was great to see everyone happy. It was an amazing day.

〈Đoạn văn của Lisa〉

Tôi quyết định chọn thịt nướng cho tiệc cuối năm và dọn dẹp nhà vào buổi sáng. Buổi trưa tôi ra ga đón mọi người rồi mua nguyên liệu, đồ uống ở siêu thị. Mọi người đều đã đói nên khi về đến nhà chúng tôi bắt đầu nướng thịt luôn. Mario cũng giúp tôi làm đồ ăn. Chúng tôi nướng thịt, rau, nấm. Vị hơi đậm nhưng mọi người đều ăn hết không để dở. Sau khi ăn xong, chúng tôi xếp đệm, ngồi nói chuyện. Bận bịu nhưng mọi người đều vui là tốt rồi. Thật là một ngày tuyệt vời.

問1 ① ぼうねんかい　② やきにく　③ きめて
④ むかえ　⑤ やき　⑥ てつだって
⑦ うすく　⑧ まぜて　⑨ こかった
⑩ のこさないで　⑪ ならべて
⑫ てきとう　⑬ いそがしかった
⑭ よろこんで　⑮ さいこう

問2 c → b → a → d

UNIT 7

1 ………………………………………… (p.95)

ドリルA ❶a　❷b　❸b　❹b　❺b

ドリルB ❶a　❷a　❸b　❹b　❺a

ドリルC ❶b ちらかさ　❷b ぜんぜん
❸a たいふう　❹a ほうこく
❺a せいてん

2 ………………………………………… (p.97)

ドリルA ❶a　❷a　❸a　❹a　❺b

ドリルB ❶b　❷a　❸c　❹c　❺a

ドリルC ❶a のうぎょう　❷b はっぱ　❸a くさ
❹b うらがえし　❺a のうさぎょう

3 ………………………………………… (p.99)

ドリルA ❶b　❷b　❸b　❹a　❺b

ドリルB ❶b　❷c　❸b　❹a　❺a

ドリルC ❶b じみ　❷a もうふ　❸a すわ
❹a なって　❺a なき

4 ………………………………………… (p.101)

ドリルA ❶b　❷a　❸a　❹b　❺b

ドリルB ❶b　❷c　❸b　❹b　❺c

ドリルC ❶a いち　❷b すな　❸a ふね
❹b じょうば　❺a おいて

5 ………………………………………… (p.103)

ドリルA ❶b　❷b　❸b　❹b　❺a

ドリルB ❶a　❷c　❸c　❹b　❺a

ドリルC ❶a みしよう　❷b たんじょうび
❸a いんしゅ　❹a ぎゅうにゅう
❺b れつ

まとめ問題A ……………………… (p.104-105)

問題1 [1] 3　[2] 2　[3] 1　[4] 2　[5] 1
[6] 4　[7] 2

問題2 [1] 4　[2] 2　[3] 1　[4] 2　[5] 1
[6] 3　[7] 3

問題3 [1] 3　[2] 1　[3] 2

問題4 [1] 4　[2] 2　[3] 1

まとめ問題B ……………………………… (p.106)

〈Mario's writing〉

I've been thinking about nature since I started taking a class on farming. I put a plant in my room, and I check it everyday to see if there are insects on the leaves or if the soil has enough water. Often times on the weekend, I go shopping at an old store that's been here next to the lake for ages. When I buy stuff here, eggs and milk, and not to mention the local vegetables, are cheaper and more delicious than other stores. On clear days I take a walk around the lake and it energizes my body and mind.

〈Đoạn văn của Mario〉

Tham gia giờ học về nông nghiệp nên tôi bắt đầu nghĩ về thiên nhiên. Tôi đặt cây trong phòng, hằng ngày kiểm tra xem có sâu sau lá hay không, đất có đủ nước không. Cuối tuần tôi thường đi đến cửa hàng bán cạnh hồ từ ngày xưa để mua đồ. Ở đây rau trồng trong vùng, trứng, sữa và nhiều đồ ăn khác đều ngon và rẻ hơn tiệm khác. Ngày nắng tôi lại đi bộ quanh hồ để cơ thể lẫn tâm hồn được sảng khoái.

問1　①のうぎょう　②しぜん　③しょくぶつ
④は　⑤うら　⑥むし　⑦つち
⑧しゅうまつ　⑨みずうみ　⑩むかし
⑪とち　⑫ぎゅうにゅう　⑬ほか
⑭はれた　⑮さんぽ

問2　a○　b×　c○

UNIT 8

1 ………………………………… (p.109)

ドリルA　❶b　❷a　❸b　❹a　❺a
ドリルB　❶c　❷a　❸c　❹c　❺b
ドリルC　❶b ねっしん　❷a はやく
❸b だいひょう　❹b あつい
❺a あらわれて

2 ………………………………… (p.111)

ドリルA　❶b　❷a　❸a　❹b　❺b
ドリルB　❶a　❷c　❸b　❹b　❺b
ドリルC　❶b さんかしゃ　❷a おねがい
❸b がくえんさい　❹a かみさま
❺a くわえて

3 ………………………………… (p.113)

ドリルA　❶b　❷a　❸a　❹a　❺b
ドリルB　❶c　❷c　❸a　❹b　❺c
ドリルC　❶a かぐ　❷a こうこく　❸b ぐあい
❹a けいさつしょ　❺a きょか

4 ………………………………… (p.115)

ドリルA　❶b　❷b　❸b　❹a　❺a
ドリルB　❶b　❷c　❸b　❹a　❺c
ドリルC　❶a りゅうこう　❷a てんさい
❸a かいが　❹b ぎょうれつ
❺b びじゅつかん

5 ………………………………… (p.117)

ドリルA　❶b　❷b　❸a　❹a　❺a
ドリルB　❶b　❷c　❸a　❹a　❺a
ドリルC　❶a しょくぎょう　❷a てんきん
❸a かかく　❹a じょうだん
❺b あたった

まとめ問題A ………………………… (p.118-119)

問題1　[1] 3　[2] 1　[3] 4　[4] 1　[5] 4
[6] 3　[7] 4
問題2　[1] 4　[2] 4　[3] 2　[4] 3　[5] 1
[6] 2　[7] 4
問題3　[1] 2　[2] 3　[3] 2
問題4　[1] 3　[2] 1　[3] 3

まとめ問題B ………………………… (p.120)

〈Lisa's writing〉

Today, I finished up work early and had an interview at the Japanese company headquarters. First, I was asked questions about my current work and I explained the experiments I am doing to test medicines. Next, I was asked about necessary work skills, so I said workplace communication, in other words, listening well to people and consulting with those around you is important. Then, I was told my personality is maybe suited for instructor-related work. I was also asked about my work location.

After that, I visited a shrine and prayed I would be able to get an international job at the company.

〈Đoạn văn của Lisa〉

Hôm nay tôi xin về sớm để đến công ty mẹ phỏng vấn. Đầu tiên tôi được hỏi về công việc hiện tại nên tôi giải thích về thí nghiệm đang làm cho kiểm tra dược phẩm. Tiếp theo lại được hỏi về năng lực cần thiết cho công việc nên tôi trả lời rằng quan trọng là giao tiếp với mọi người ở chỗ làm, nghĩa là biết nghe người khác nói và hỏi ý kiến xung quanh. Tức thì họ nói tính tôi hợp với công việc dạy học. Họ còn hỏi tôi cả nơi làm việc nữa.

Sau đó tôi đến viếng đền, cầu mong được làm công việc quốc tế ở công ty mẹ.

問1　①そうたい　②めんせつ　③やくひん
④ひつよう　⑤のうりょく　⑥しょくば
⑦そうだん　⑧じゅうよう　⑨せいかく
⑩きょうし　⑪きんむち　⑫じんじゃ
⑬おまいり　⑭こくさいてき　⑮おねがい

問2　b

UNIT 9

1 ………………………………… (p.123)

ドリルA　❶b　❷b　❸b　❹a　❺b
ドリルB　❶c　❷b　❸a　❹a　❺a
ドリルC　❶a さん　❷a しゅしょう　❸b とかい
❹b せいぞう　❺a へいきん

2 ………………………………… (p.125)

ドリルA　❶a　❷a　❸b　❹b　❺a
ドリルB　❶c　❷a　❸c　❹b　❺c
ドリルC　❶a えいぎょう　❷b ゆにゅう
❸a こじん　❹a かんせい　❺b さかん

3 ………………………………… (p.127)

ドリルA　❶b　❷a　❸b　❹b　❺b
ドリルB　❶a　❷a　❸c　❹a　❺b

ドリルC ❶a けつろん ❷a とどうふけん
❸a しょうひぜい ❹b たて
❺b うつそう

4 ······································ (p.129)

ドリルA ❶a ❷b ❸a ❹b ❺b
ドリルB ❶b ❷c ❸a ❹a ❺b
ドリルC ❶a しめし ❷a わりびき
❸b へらした ❹a ふえて ❺a われて

5 ······································ (p.131)

ドリルA ❶b ❷b ❸b ❹a ❺b
ドリルB ❶b ❷a ❸b ❹c ❺a
ドリルC ❶a しんちょう ❷a どくしん
❸a よそう ❹b ふうふ ❺a どくとくな

まとめ問題A ·························· (p.132-133)

問題1 [1] 1 [2] 4 [3] 2 [4] 4 [5] 2
[6] 3 [7] 3
問題2 [1] 1 [2] 3 [3] 2 [4] 3 [5] 4
[6] 2 [7] 3
問題3 [1] 4 [2] 2 [3] 3
問題4 [1] 1 [2] 2 [3] 2

まとめ問題B ······························ (p.134)

〈Mario's writing〉
Having had many experiences, I've been thinking about society now. The ratio of single people is increasing, but marriage is a personal issue, so I think there are many ways of thinking about it. The relationship between husband and wife has also changed a lot from long ago. The ideal changes, but a society where anyone can freely study and work as they please would be nice. I've also had interest in recent essays on labor and production, so I think I'll read about those next.

〈Đoạn văn của Mario〉
Trải nghiệm nhiều thứ tôi bắt đầu nghĩ về xã hội. Tỉ lệ người độc thân đang tăng lên nhưng kết hôn là vấn đề cá nhân nên tôi nghĩ mỗi người có một suy nghĩ. Quan hệ vợ chồng cũng thay đổi so với trước kia. Lí tưởng dần thay đổi nhưng một xã hội mọi người được tự do học tập, làm việc trưởng thành là tốt nhất. Tôi cũng quan tâm đến luận văn về lao động và sản xuất nên lần tới tôi sẽ đọc thử xem sao.

問1 ① けいけん ② どくしん ③ わりあい
④ ふえて ⑤ けっこん ⑥ こじんてき
⑦ おっと ⑧ つま ⑨ かんけい
⑩ りそう ⑪ せいちょう ⑫ ろうどう
⑬ せいさん ⑭ ろんぶん ⑮ かんしん

問2 a

実力テスト 第1回
(p.135-137)

問題1 [1] 1 [2] 1 [3] 3 [4] 3
[5] 3 [6] 2 [7] 3 [8] 2

問題2 [1] 2 [2] 2 [3] 4 [4] 3 [5] 1 [6] 2

問題3 [1] 1 [2] 2 [3] 3 [4] 1
[5] 2 [6] 3 [7] 4 [8] 4

実力テスト 第2回
(p.138-140)

問題1 [1] 4 [2] 3 [3] 3 [4] 1
[5] 3 [6] 4 [7] 4 [8] 1

問題2 [1] 2 [2] 1 [3] 2 [4] 4 [5] 1 [6] 3

問題3 [1] 1 [2] 3 [3] 1 [4] 3
[5] 4 [6] 3 [7] 4 [8] 1

「数え方を表す漢字」の読み方

Reading for Kanji for Ways of Counting ／ Cách đọc "chữ Hán chỉ cách đếm số"

		～人 (number of) people ～ người	～日間 (number of) days ～ ngày	～才（歳） ～ years old ～ tuổi	～本 used to count long objects Từ dùng khi đếm đồ vật dài	～枚 used to count thin objects Từ dùng khi đếm những thứ mỏng	～冊 used to count books and magazines Từ dùng khi đếm sách, tạp chí
1	一	ひとり	いちにちかん ※ふつうは一日（いちにち）	いっさい	いっぽん	いちまい	いっさつ
2	二	ふたり	ふつかかん	にさい	にほん	にまい	にさつ
3	三	さんにん	みっかかん	さんさい	さんぼん	さんまい	さんさつ
4	四	よにん	よっかかん	よんさい	よんほん	よんまい	よんさつ
5	五	ごにん	いつかかん	ごさい	ごほん	ごまい	ごさつ
6	六	ろくにん	むいかかん	ろくさい	ろっぽん	ろくまい	ろくさつ
7	七	ななにん しちにん	なのかかん	ななさい	ななほん	ななまい	ななさつ
8	八	はちにん	ようかかん	はっさい	はっぽん	はちまい	はちさつ はっさつ
9	九	きゅうにん くにん	ここのかかん	きゅうさい	きゅうほん	きゅうまい	きゅうさつ
10	十	じゅうにん	とおかかん	じゅさい じっさい	じゅっぽん じっぽん	じゅうまい	じゅっさつ じっさつ
	何	なんにん	なんにちかん	なんさい	なんぼん	なんまい	なんさつ
		→N4-229	11日間 じゅういちにちかん 12日間 じゅうににちかん	二十才（歳） はたち にじゅっさい →8-4-❸	→N4-242	→8-3-❺	→1-4-❼

		～個 suffix used to indicate amount Từ thêm vào sau chữ số khi nói về số lượng	～台 used to count large machines or devices (car, TV, etc.) Từ dùng khi đếm máy móc to như ô tô, tivi v.v…	～番 suffix for ordinal numbers (#○ , No. ○) thứ ～	～回 suffix for number of times, instances ～ lần	～階 suffix for numbered floors tầng ～	～足 used to count shoes Từ dùng khi đếm giầy
1	一	いっこ	いちだい	いちばん	いっかい	いっかい	いっそく
2	二	にこ	にだい	にばん	にかい	にかい	にそく
3	三	さんこ	さんだい	さんばん	さんかい	さんがい さんかい	さんぞく
4	四	よんこ	よんだい	よんばん	よんかい	よんかい	よんそく
5	五	ごこ	ごだい	ごばん	ごかい	ごかい	ごそく
6	六	ろっこ	ろくだい	ろくばん	ろっかい	ろっかい	ろくそく
7	七	ななこ	ななだい	ななばん	ななかい	ななかい	ななそく
8	八	はちこ はっこ	はちだい	はちばん	はちかい はっかい	はちかい はっかい	はっそく
9	九	きゅうこ	きゅうだい	きゅうばん	きゅうかい	きゅうかい	きゅうそく
10	十	じゅっこ じっこ	じゅうだい	じゅうばん	じゅっかい じっかい	じゅっかい じっかい	じゅっそく
	何	なんこ	なんだい	なんばん	なんかい	なんかい なんがい	なんぞく
		→9-2-❿	→N4-160	→1-2-❸	→N4-247	→3-1-❻	→2-3-❶